SICILIA

シチリアへ行きたい

小森谷慶子　小森谷賢二

とんぼの本
新潮社

ストロンボリ島
I. Stromboli
ナポリへ
パナレーア島
I. Panarea
フィリクーディ島
I. Filicudi
アリクーディ島
I. Alicudi
サリーナ島
I. Salina
リパリ島
I. Lipari
P.113～
Lipari
エオリエ諸島
ISOLE EOLIE O LIPARI
ヴルカーノ島
I. Vulcano
ミラッツォ
Milazzo
パッティ
Patti
ティンダリ
Tindari
P.102
A20
113
メッシーナ
MESSINA
P.100
A3
Villa S. Giovanni
レッジョ・ディ・カラブリア
Reggio di Calabria
106
チェファルー
Cefalù
P.76～
S. Stefano di Camastra
Peloritani
A18
メッシーナ海峡
Streito di Messina
Madonie
Nebrodi
Gangi
Randazzo
120
284
タオルミーナ Taormina
P.45～
ナクソス
Naxos
エトナ山
Etna
3340▲P.81～
Bronte
Nicosia
Giarre-Riposto
ナポリへ
Simeto
Rif. Sapienza
A19
121
Adrano
Nicolosi
アチレアーレ
Acireale
アーチ・トレッツァ
Aci Trezza
P.80～
エンナ
ENNA
P.49
Paternò
カターニア
CATANIA
P.84～
カターニア空港
カルタニッセッタ
CALTANISSETTA
モルガンティーナ
Morgantina
P.103
イオニア海
MAR IONIO
Piana di Catania
417
ピアッツァ・アルメリーナ
Piazza Armerina
カザーレのローマ離宮
Villa Romana del Casale
P.50～
マルタ島へ
レンティーニ
Lentini
114
Salso
カルタジローネ
Caltagirone
P.98～
Grammichele
Augusta
メガラ・ヒュブレア
Megara Hyblaea
パンタリカ
Necropori Pantalica
ヴィッツィーニ
Vizzini
イブレイ山地
Monti Iblei
ata
115
ジェラ
Gela
Val di Noto
パラッツォーロ・アクレイデ
Palazzolo Acreide
P.95
アクライ
Akrai
シラクーサ
SIRACUSA
P.6～
コミソ
Comiso
P.95
Vittoria
Noto Antica
RAGUSA ラグーサ
P.88～
ノート
Noto
P.96～
Modica モディカ
P.94
Cava d'ispica
Marina di Ragusa
シクリ
Scicli
P.94
115
Pozzallo
Pachino
パッセロ岬
Capo Passero
マルタ島へ
N
0
40km
Map Design: 網谷貴博（ジェイ・マップ）

シチリア Sicilia

はじめに

シチリアと聞いて思いうかぶのは、輝く海を背景にしたギリシア劇場や雪を戴く活火山エトナ、孤独な羊飼いや陽に灼けた漁師たち、あるいはマフィアであろうか。しかしシチリアにはもっと多くの顔がある。今でこそイタリアの一州であるが、長く複雑な歴史につちかわれた独自の文化や習慣をもつたぐい稀な島国なのだ。

　そもそもシチリアは地中海の真ん中に位置する地中海最大の島である。面積はわが国の九州の約七割、その地は起伏に富み、三角の形状と、噴煙たなびく霊峰エトナで知られている。地中海の要衝という立地と地味の豊かさゆえ、先史時代から常にさまざまな異民族が押寄せ、それぞれの多様な文化をこの地に累積させてきた。

　古代にはギリシア人の大量入植によってギリシア世界の一部となり、やがてローマ帝国に征服された。中世にはアラブ世界に組み込まれたが、北仏より南下してきたノルマン人によってキリスト教世界に戻り、

王国となった。近世には大国スペインの傘下で封建制がはびこり、ナポリ政府の支配を経て統一イタリア王国に併合された。だが社会不安は増大し、貧困から島を離れる人も少なくなかったうえ、マフィアが横暴をきわめた。ともあれ今はイタリア共和国総人口の約一割、五百万強が住む、イタリア最大の特別自治州となっている。

　このように錯綜した歴史の中で、とくにギリシアとノルマンの時代は特筆に値する。これらの民族はこの地に根をおろして島を繁栄させ、シチリアの名を世に知らしめたからである。島民も、西方ギリシア世界の覇者シラクーサを、そしてノルマンの中世地中海王国の栄光を、誇らしげに語る。

　だがシチリアの魅力は歴史とモニュメントの豊かさばかりではない。何といってもここには地中海の太陽と青い海がある。大地には小麦畑が広がり、オレンジがたわわに実を結ぶ。新鮮な海の幸を中心としたおいしい料理に芳醇なぶどう酒。旅する者をシチリアが裏切ることはありえないのだ。

アーチ・トレッツァ、キュクロプスの岩礁 Faraglioni dei Ciclopi, Aci Trezza

シチリアへ行きたい 目次

COLUMN

［文］小森谷慶子 ［写真］小森谷賢二

シラクーサ、アレトゥーサの泉の南方に延びるアルフェオ通り
Lungomare Alfeo, Siracusa

ギリシアの神々が住まう島

　なおも白煙をくゆらし、時に火焔を吐く霊峰エトナ、その地中には火の神ヘファイストスの工房があるとされていた。彼は天を支配するゼウスとその正妻ヘラの息子であったが、容姿が醜いため両親にうとまれて不幸な育ち方をした。ともあれ今は、神々のために武具や宝飾品をつくる鍛冶の名匠とうたわれるようになり、父ゼウスのためにみごとな雷霆《らいてい》をつくり上げ、その褒美として美神アフロディテ（英名ヴィーナス）を妻にすることができた。

　アフロディテはしかし、シチリアの西端エリチェの山頂に住まい、陽《ひ》の神ヘリオスに見張られつつも、肉体美を誇る軍神アレスと密通していた。ある日、彼女のいたずら息子エロス（英名キューピッド）は、冥界の主ハデス（別称プルトン）に愛の矢を射てしまう。わきあがる熱い思いに駆られたハデスは地上へと二輪馬車を走らせた。

　シチリアのほぼ中心に突き出たエンナという山岳都市の南のすそ野、錦のような草花におおわれたペルグーサ湖の畔では、えも言われぬ芳香の中、乙女らが花を摘んでいた。と、おどろおどろしいひづめの音。恐れて逃げまどう乙女らの中には、人類に農耕を伝え授けた女神デメテルの愛娘ペルセフォネもいたが、立ち現れたハデスは彼女をつかみ上げて抱きかかえると、地表の裂け目から冥界へと連れ去った。

　姿を消した愛娘を必死に捜すデメテル。好色なオリュンポスの神々の目に触れぬよう、はるかシチリアの地に娘をかくまっていたというのに……。髪ふり乱して尋ねまわっても手がかりはなく、彼女の絶望がひでりに、嘆きが豪雨となり、大地の実りに大きな打撃をもたらした。

　ある日デメテルは、シラクーサのオルティージャ島に湧く泉のほとりで愛娘の帯を見つけた。泉の妖精《ニンフ》アレトゥーサの口からついに事実が語られる。

「女神様……、私はもとはギリシア本土の森におりました。ある暑い日、うかつにも水浴びをしていたとき、川の神アルフェイオスに言い寄られてしまいました。それをうとましく思った私

をアルテミス様がこのような泉の姿に変えて下さったのです。地底を走っていたとき、ペルセフォネ様をお見かけしました。冥界でハデス様のお妃となっておられました」

　これを聞いたデメテルは唖然とし、ゼウスのもとへ行き、娘を返してくれるようハデスへの取りなしを頼む。結局ペルセフォネは、冥界と地上に交互に住むこととなって和解が成立した。

　これは周知のように、農耕を寓意する神話で、ペルセフォネは穀物の種子を意味している。太古の世界とも見まごうこの島の自然は、太陽神ヘリオスを思わせる陽光、怒れるゼウスのごとき雷雨、デメテルの慈愛とも言うべき豊かな大地の恵みなど、人知の及ばない神々の存在感に満ちている。

〈註〉ギリシアの神々は後々ローマ神と同化した。例えば、ゼウス→ユピテル、ヘラ→ユノ、ヘファイストス→ウルカヌス、アフロディテ→ウェヌス、アレス→マルス、デメテル→ケレス、アルテミス→ディアナ、アテナ→ミネルウァ等である。

シラクーサ、アレトゥーサの泉 Fonte Aretusa, Siracusa

シラクーサの大港 Porto Grande, Siracusa

島の始まりと先史時代

シチリアが地中海の海底から隆起したのがおよそ二億年前、さらにエトナ山が海底から噴出し始めたのは約六十万年前と考えられている。そのためこの島は石灰質の地盤をもつが、地表はミネラルを多く含む肥沃な火山灰の地層におおわれている。

そこに人類が出現したのは約二万年前と考えられており、島の北西部、パレルモの近郊やレヴァンツォ島では約一万年前の旧石器時代の洞窟壁画が見つかっている。前五千年紀末には農耕が導入されて新石器時代となった。前十九世紀頃より始まった青銅器時代には、エーゲ海域との交流を示唆する痕跡も見つかっており、考古学的にも面白い。ヘラクレスの功業、ダイダロスの渡来、オデュッセウスの冒険といった伝説の背景となる時代でもある。

前八世紀になるとギリシア人の入植が始まるが、それ以前の島には三種の先住民がいたと伝えられている。まずは、イベリア半島渡来とされる最古の先住民シカニ族（そのため青銅器時代に島はシカニアと呼ばれていた）。そしてトロイアの陥落後、小アジアから島の西部に移り住んだエリミ族。さらにイタリア半島から渡来し、島の東部に住み着いたシクリ族である。以後、島は彼らの名にちなみシケリアと呼ばれるようになった。

また、前九世紀末頃北アフリカにカルタゴを建設した海洋民族フェニキア人がシチリアに多くの寄港地を設けていたことを忘れてはならないだろう。

ギリシア人の入植

シチリア観光の主眼となるのはやはりギリシア時代の神殿や劇場など、遺跡巡りであろう。美しい自然に抱かれた遺跡のたたずまいには感慨深いものがあるし、中には広大な神殿群をなしていたり、異常に大規模なものもある。

ギリシア人が西地中海へ組織的な入植活動を始めたのは前八世紀半ばのことであった。本土が人口増大にともない経済的に飽和状態になったため、計画的に募集をかけて移民団を送り出したのである。行く先はデルフォイの神託次第。新天地に野望をいだき、イアソン率いるアルゴ号探検隊《アルゴナウタイ》よろしく彼らは故郷を後にした。

シチリア入りした最初の移民団はエウボイア島のカルキス人で、まずザンクレ（現メッシーナ）に、続いて前七三四年頃ナクソスに定住した。同年コリントス人がシラクーサを建設し、さらにメガラ人がメガラ・ヒュブレアを、クレタ人とロドス人がゲラ（現ジェラ）をつくった。それぞれの植民市《ポリス》が増殖すると、新たな都市がうまれていった。例えば、セリヌス（現セリヌンテ）はメガラ・ヒュブレアの、アクラガス（現アグリジェント）はゲラの副次都市である。

各都市はそれぞれの母市を仰ぎつつも母市からは政治的にも経済的にも独立していた。とはいえ常にギリシア人であることを強く意識し、競技祭などで定期的に集ったり、本国同様、アゴラ（市民広場）やアクロポリス（小高い城砦）を備えた街をつくり、概して閉鎖的な貴族制を打ち立てた。

シラクーサのギリシア劇場 Teatro Greco, Siracusa

SIRACUSA

シラクーサ

青い海にふちどられた シチリアで最も美しい街

ドゥオモ広場 Piazza Duomo

まずはシラクーサへ。ローマが古代世界に覇を唱える以前の西地中海世界で最も輝かしい歴史と文化を誇った都市、アルキメデスを生み、キケロが「あらゆるギリシア都市の中で最大にして最も美しい」と讃え、リウィウスが「最も気品ある」と形容したこの都市は、前五世紀にはすでに人口四十万（推定）を擁する大都会であった。

オルティージャ島

シラクーサ発祥の地であり、地元ではなおもオルティクス（うずら）やスコギュ（岩）といった古い名で呼ばれ愛されている。本土と短い橋（三本に増えた）でつながれているので、海に突き出た半島のようでもある。船溜まりを左右に見ながら中央の石橋を渡ると、柵で囲われた緑地があり、神殿の遺構が見てとれる。前六世紀初頭にさかのぼる最古の石造り周柱式神殿のひとつである。キケロらの記述からアルテミス神殿と考えられていたが、東側の基壇に献辞碑が見つかってからは**アポロン神殿**と呼ばれている。

アポロン神殿 Tempio di Apollo

そこからゆるい上り坂をなす目抜き通りを上ると、森と狩りの女神ディアナ（＝アルテミス）の噴水があるアルキメーデ広場に至る。さらに南へと分け入ると丘の上の聖域、古代のアクロポリスたる**ドゥオモ広場**である。バロック様式のファサードをもち、市の守護聖女ルチアを祀るドゥオモの堂内は、改造されてはいるものの、前五世紀初頭、カルタゴ軍の来襲を打破したヒメラの戦いを祝し、ドーリス式で再建された厳かなアテナ神殿そのものである。古代には東側の破風で輝くアテナの盾が海上からも見えたという。なお、北隣の市庁舎の下からはイオニア式神殿の遺構が見つかっている。

さらに南下して視界に海が開けた所には、伝説に詠われた**アレトゥーサの泉**（8〜9頁）が清水を湧き出させている。そこに自生するパピルスの草陰ではあひるがたわむれ、囲いの周辺は常に多くの観光客でにぎわっている。最寄りのサンタ・ルチア・アッラ・バディア教会には、カラヴァッジョの祭壇画『サンタ・ルチアの埋葬』がある。

朝の散歩なら、島の北寄りに立つ路地市場をのぞいてみよう。この小さな島は近年美化が進み、ホテルやレストランも増え、とみに活気づいている。

ドゥオモ Duomo
ファサード［右下］、堂内の列柱［右上］、北側外壁となった列柱［左上］。アテナ神殿が7世紀にキリスト教の聖堂に改造されたもの。東側の正面を後陣に、西側の背面を入口とし、神室の壁にアーチを穿って身廊を、列柱間を壁でふさいだり、礼拝堂を設けたりして側廊を設けた。大理石の床は15世紀のもの。バロック様式のファサードは18世紀のもの。屋根の縁の狭間はモスク当時のもの。

シラクーサの強大化：ゲロンとヒエロン

前6世紀、シラクーサはすでに本島側へと市街地を押し広げ、その豊かさと美しさはギリシア本土にも知れわたり、女流詩人サッフォーら文化人をも惹き付けていた。

前5世紀になると階級闘争がおこり、これに介入したゲラの支配者ゲロンがシラクーサに君臨することになる。その支配下、軍事的に益々強大化した。アテネ(古名アテナイ)の使者がやって来て、ペルシア軍を迎え撃つための軍事支援を請うたという話をヘロドトスが伝えている。

そして前480年、東西ギリシア世界で時を同じくしてギリシア人が蛮族と戦った。本国はサラミスにてペルシアと、シチリアではヒメラに上陸したカルタゴと、である。その戦勝記念として、シラクーサにはアテナ神殿が再建された。

ゲロンの弟ヒエロンもまた、カンパニアのクーマ沖でエトルリア海軍を打ち破り、詩人ピンダロスに英雄として詠われた。

考古学公園と石切り場

シラクーサは古代にシュラクーサイと複数形で呼ばれていたように、オルティージャに接する本土側にアクラディーナ、その北東部にテュケ、北西部にネアポリスという街区があった。そして市北一帯は石灰岩質の岩盤がむき出しの荒野であり、古くから石切り場《ラトミエ》となっていた。

　そのうち、ネアポリス（新市街）と呼ばれた街区が今は**考古学公園**となっている。ここにはまず**ギリシア劇場**がある。前五世紀に岩場をくりぬいて造成され、前三世紀には後部観客席が増設された。その頃のシラクーサはアテネ（古名アテナイ）やアレクサンドリアと並ぶ演劇のメッカだったのである。その東側にはアポロン・テメニテスの聖域があったというが、下の石を掘りすぎて崩落してしまった。中空に見える断層にはギリシア時代の地下水道の横穴が見てとれる。

市内で最古、北東部海岸に近いカプチン修道院隣りのホテルの庭の石切り場
Latomia nel giardino dell'Hotel Villa Politi adiacente al Convento dei Cappuccini

　劇場の東側に広がる**天国の石切り場**には、椰子や竜舌蘭などの熱帯植物や柑橘類の果樹が茂り、アカンサスの葉陰にはとかげがちょろつく。このジャングルの奥には、ろばの耳のような形の洞窟があるが、おそらく上の劇場の外周に沿って穿たれていた水道を掘り下げたもので、湾曲しているため小さな音も増幅されて洞内に響きわたる。

「ディオニュシオスの耳」と呼ばれる石窟。考古学公園内、天国の石切り場
"Orecchio di Dionisio", Latomia del Paradiso, Parco Archeologico

「ディオニュシオスの耳」という呼び名は、ここを訪れた画家カラヴァッジョが、猜疑心の強かったこの僭主（次頁参照）が捕虜のひそひそ話を盗み聞いたという伝説を聞いて命名したものである。

ところで前五世紀末、アテネは、豊かなシチリアを征服せんとの野心にもえ、四万もの遠征軍を送り込んだ。挙げ句に敗れ、捕虜はこのような石牢に閉じ込められ、冷気と湿気、悪臭と飢えにあえいで息絶えていったと、トゥキディデスが『戦史』の中で伝えている。市の北東部の古い石切り場（写真右頁）がそこだとされている。

天国の石切り場に見られる地下水道の跡
崩落した岩盤の切断面にその横穴が見える。ギリシア時代の水道の支流で、別の水路はなおも29キロ先の水源地からギリシア劇場の上部まで水を運びつづけており、劇場上部の周歩廊にあったニュンファイオン（噴水装置）の遺構に今もほとばしり出ている。

エウリュアロス城砦《カステッロ・エウリアロ》

「**ディオニュシオス**の耳」という石窟の名はシラクーサの支配者にちなむと既述したが、彼は前五世紀末、カルタゴ軍がセリヌンテとアクラガスを壊滅させて迫り来るという窮地の中で頭角を現し、二十代半ばの若さで軍隊によって擁立された独裁者である。権力を手にしてまず着手したのが、二十七キロに及ぶ市壁とこの砦の建設であった。チームを編成して競わせ、短期間で竣工させたことが語りぐさになっている。海陸三六〇度をぐるりと見渡すエピポリの丘を占めるこの砦は、西側に三重の掘割を巡らせ、奇抜な仕掛け（頁下部参照）に満ちた、古代世界でも類を見ない遺跡だ。さらにオルティージャ島を要塞化し、艦隊を増強し、ケルト人やスパルタ人などの外国人傭兵を雇い、独創的な武器を発明すると、カルタゴの島内拠点モツィアを一気に滅ぼした。そして政略結婚によって半島南部をも傘下に収め、アドリア海にまで植民地（現アンコーナなど）をつくり、その威名を東地中海にまで轟かせた。

勝ちを収めた時に死すとの神託を受けていたので、宿敵カルタゴとの決着はつけずにいたようだが、意外なことに詩作が趣味で、アテネの演劇祭でまさかの優勝を手にした直後、まさしく予言どおりに急な病で他界した。

なお彼には同名の息子がいた。太宰治の短編小説『走れメロス』（新潮文庫他）は、このディオニュシオス二世の逸話をもとにしたシラーの戯曲の翻案である。

この親子の時代、哲学者プラトンが三度もシラクーサの宮廷に招かれて政治哲学を説き、虚しい思いを味わったエピソードも知られている。

[上・左頁]**エウリュアロス城砦** Castello Eurialo
上は内堀。左の写真の中央には砲台の跡が見える。また砦内にも、侵入者を想定し、鉤の手状の通廊、上からタールや熱湯が落ちてくる切り通しなどの仕掛けがあった。

ギリシア劇場 Teatro Greco

前5世紀、ゲロンの弟ヒエロンによって建設された。ここでは、喜劇作家エピカルモスがきらめく英知とユーモアで神話や哲学をパロディー化し、喝采を受けた。アイスキュロスが悲劇『ペルシア人』を初演したという話もある。ヒエロン2世によって改築され（前3世紀）、古代世界最大級となった。現在も毎年初夏に2ケ月間、連日古典劇が上演されている。

宿敵カルタゴとの戦いは……

シチリアの古代史はカルタゴとの戦史の如しである。ディオニュシオス二世の失脚後、シラクーサの母市コリントスからティモレオンが司令官として派遣され、さらに民衆派のアガトクレスが登場する。彼は大胆にも北アフリカに攻め込み、後にローマの英雄スキピオの模範となった。そしてエペイロス（現アルバニア辺り）から招かれた司令官ピュロスが敗退した後、**ヒエロン二世**が頭角を現した（治世・前二七〇〜前二一五年）。ヘレニズム時代の支配者らしく「王《バシレウス》」を名乗った彼は、シチリアに南下してきたローマの底力を見極めた。そしてローマと盟約を、宿敵カルタゴとは停戦協定を結ぶ。こうしてローマとカルタゴが戦争を始め（**ポエニ戦争**）、シラクーサはしばし泰平の世を謳歌することになった。

古代有数の大富豪として知られたヒエロン王はかの**アルキメデス**の庇護者

ヒエロン2世の祭壇 Ara di Ierone II

198×22.8mの規模をもつ大祭壇。基壇のみが残っている。その西側には列柱で囲まれた広場があり、中央の溜池には解放者ゼウスの像が置かれていた。

ちなみにヒエロン2世の治世は50年以上に及び、その間シラクーサは繁栄と平和を享受した。

［左］**円形闘技場** Anfiteatro romano
ローマ時代帝政期、剣闘試合や狩猟ショーのためにつくられた。上部は失われているが、規模は140×119mであった。アレーナには地下装置のための奈落が見える。

［下］**〝ローマのギムナジウム〞** Ginnasio romano（俗称）
前１世紀末頃の建設か？　この劇場の他、回廊や神殿の痕跡もある。近年セラピス神に捧げた碑文が出土したこともあり、キケロの伝えるセラピス神殿の遺構ではないかとの説もある。

でもあり、彼らの時代のシラクーサは古代随一の技術先進国となった。エジプトのアレクサンドリアで幾何学と数学を学んで帰国したアルキメデスは、らせん状ポンプ、大型船進水装置、凹面発火鏡、各種砲弾発射装置、クレーンなどの実用機械や武器を次々に発明・改良したのだ。エジプトに贈られた巨大船舶シュラキュズィア号は二千あるいは四千トン級と伝えられ、近世まで実現されることのない規模であった。何でも大きい物を好んだ王は、ネアポリスに、生け贄の牛を一度に四百五十頭ほふることのできる大祭壇をつくり、劇場を一万五千席にまで拡張した。

その間、シラクーサから物資を補給されつつ島からカルタゴ勢を蹴散らしたローマは、ヒエロン王の没後、いよいよシラクーサに狙いを定める。アルキメデスの巧妙なる防衛機器を駆使した攻防戦の様子はポリュビオスによって仔細に伝えられている。そして一年ちかくもの攻囲の後、前二一二年、西方ギリシアの牙城は惜しくもある貴族の裏切りにより陥落した。その時アルキメデスは七十五歳、一兵卒の手にかかって果てたと伝えられている。

こうしてついにシチリア全島がローマの属州となり、長官はオルティージャ島に拠ることになった。

サン・ジョヴァンニ教会

Chiesa di S.Giovanni

3世紀に殉教したシラクーサの初代司教マルティアヌスの墓の上にビザンツ時代に創建され、7世紀までドゥオモであった。ノルマン時代に再建され、17世紀末の地震で倒壊した。クリプタ（地下墓所、写真は左頁に）を見学することができる。

同教会地下のカタコンベ

Catacombe di S.Giovanni

4世紀にさかのぼる広大な地下墓地。ギリシア時代の水道の跡が天井に残っている。東西に延びる幅広の目抜き通りに小路が交わり、天井に穴のある丸い礼拝空間がいくつかある。ここで見つかったみごとな「アデルフィアの石棺」（4世紀）は考古学博物館に置かれている。

カタコンベとクリプタ

ローマ時代帝政末期に普及した原始キリスト教にとってシラクーサは重要な拠点のひとつであった。市内には三つの大きな地下墓地《カタコンベ》がある。

そのうち、サン・ジョヴァンニ（洗礼者ではなく福音書記者ヨハネの方）教会地下の遺構は、この町の初代司教マルティアヌスの地下墓所《クリプタ》に隣接し、ギリシア時代の水道を利用して掘り進められたもので、広々とした通廊と礼拝用の広い空間（ロトンダ）をもっている。

サンタ（聖女）・ルチア

シラクーサの守護聖人は帝政末期、四世紀初頭の殉教者ルチアである。母の病気快癒を祈り、カターニアの殉教者アガタの墓前に処女の誓いをたてたため、いいなずけに婚約不履行で訴えられ、打ち首になった。その際、自らの両目をえぐり出して長官に投げつけたという言い伝えがあり、目の守護聖

[上]**初代司教の墓所** Cripta di S.Marziano

[左]同墓所の角柱と柱頭のひとつ。各柱頭には４人の福音書記者のシンボル（鷲、獅子、牛、天使）が刻まれている。

人としても崇められている。殉教日の十二月十三日には大規模な祭列がドゥオモを出て彼女の墓所へと向かう。

マニアケス城《カステッロ・マニアチエ》

オルティージャ島の先端には、数多くの築城で知られるフェデリーコ二世（60～61頁）の建てた城砦があるが、アラブ人の支配下にあった十一世紀のシチリアに攻め入ったビザンツの将軍マニアケスの名を冠している。身の丈三メートルの巨漢として知られるこの将軍は、撤退する際に聖女ルチアの聖遺物をコンスタンティノープルに持ち帰った。それはさらに十字軍によってヴェネツィアに移されたが、返還交渉の末、シラクーサには十七世紀に左上腕骨のみが戻された。

パオロ・オルシ州立考古学博物館

イタリアで最も重要な考古学博物館のひとつ。第二次大戦前に大ギリシアとシチリア東部の発掘を主導した考古学者の名を冠している。これらの古代ギリシア文化圏のみならず、ミケーネとの交易があったタプソスや、内陸部パンタリカの洞窟墳墓群（113頁参照）など、先史時代の出土品も興味深い。モーパッサンが紀行の中でほめ讃えたウェヌス像など、ローマ時代以降の出土品は上階に集められている。

E

A

B

F

C

G

D

オルティージャ島　南端にはマニアケス城（Castello Maniace）。
©Istituto Geografico De Agostini

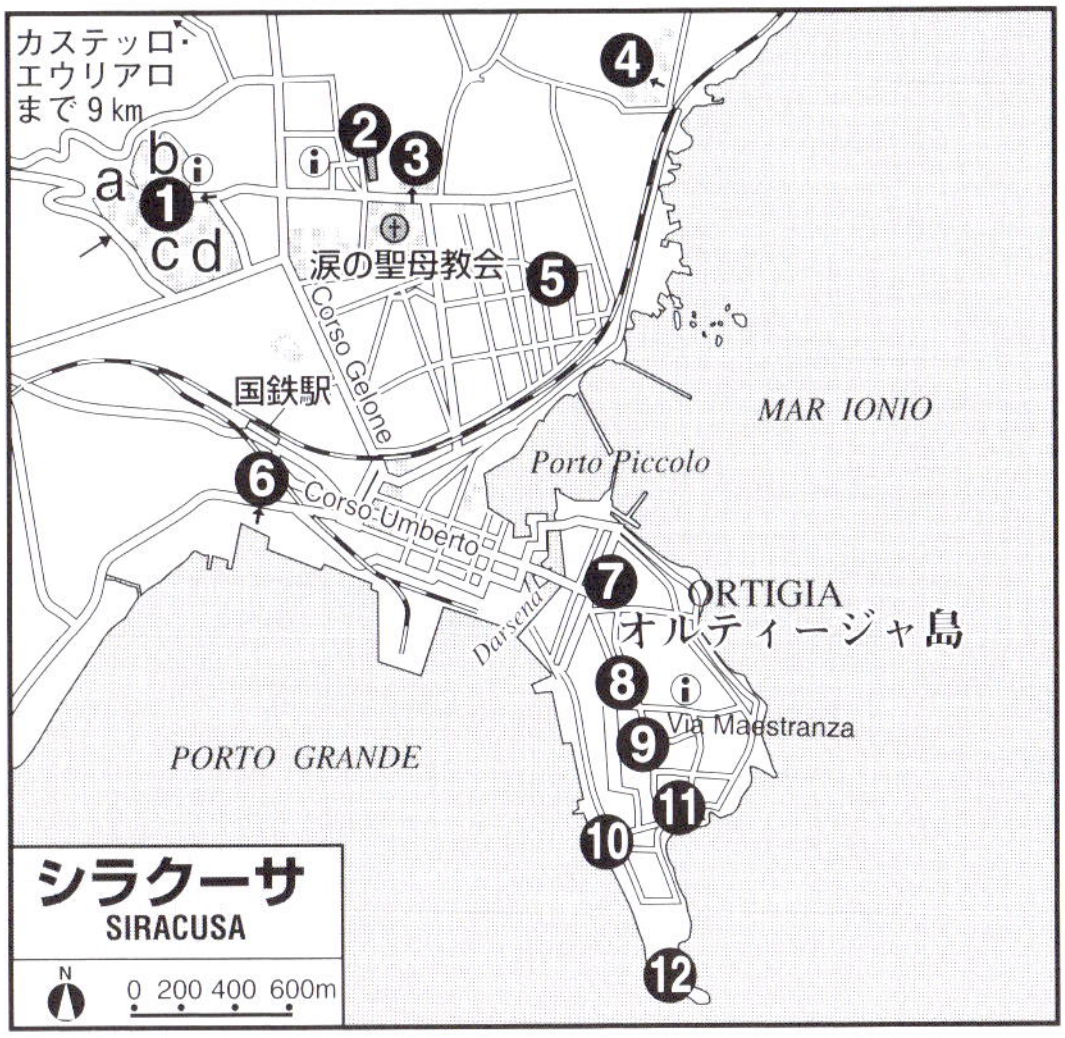

A 双子を抱く母神像
メガラ・ヒュブレアより出土した石灰岩の彫刻（前6世紀半ば）。

B 妖精アレトゥーサが刻まれたシラクーサの4ドラクマ貨
前４世紀初頭のシラクーサでは、古代世界で最も美しい貨幣が、傭兵への給金支給のため盛んに鋳造された。〈考古学監督局蔵〉
写真提供＝ Archivio A.P.T. Siracusa

C パンタリカのネクロポリス
アナポ川の上流には、青銅器時代後期にさかのぼるかまど型墳墓が5000もあり、2005年、シラクーサとともにユネスコの世界文化遺産に指定された。

D パンタリカ文化初期の陶器
パンタリカのネクロポリスで見つかった副葬品。これら単色の赤く艶のある陶器には、長い脚部など、ミケーネ文化の影響が見られる。

E サンタ・ルチア聖堂と墓所礼拝堂 S.Lucia al Sepolcro

F 海から生まれたアフロディテの像
Venere Anadiomene o Landolina
発見者にちなみ「ランドリーナのウェヌス」とも呼ばれている。モーパッサンが夢中になり、紀行で賞賛した。

G アテナ神殿とイオニア式神殿の模型
パオロ・オルシ考古学博物館では模型や映像も見られる。アテナ神殿の北隣には、シチリアには珍しいイオニア式神殿が建っていた。また、前480年にドーリス式で再建される以前のアルカイック式のアテナ神殿の部材なども展示されている。
〈A、D、F、Gはパオロ・オルシ州立考古学博物館蔵〉

シラクーサの見どころ

❶ **考古学公園** Parco Archeologico（入口は東側）
　a ギリシア劇場（11頁、20頁）
　b 天国の石切り場（16〜17頁）
　c ヒエロン２世の祭壇（20頁）
　d ローマの円形闘技場（21頁）
❷ **サン・ジョヴァンニのカタコンベ**（22頁）
❸ **パオロ・オルシ州立考古学博物館**（23頁）
❹ **カプチン会士の石切り場**（16頁）
❺ **サンタ・ルチア聖堂と墓所**（写真右頁）
❻ **〝ローマのギムナジウム〟**（21頁）
❼ **アポロン神殿**（14頁）
❽ **アルキメーデ広場**（26頁）
❾ **ドゥオモ＝アテナ神殿**（15頁）
❿ **アレトゥーサの泉**（8〜9頁）
⓫ **ベッローモ美術館**（14頁、101頁）
⓬ **マニアケス城**（23頁）

オルティージャ島の街角
[上]アルキメーデ広場、アルテミスの噴水
[右中]ドゥオモ広場　[右下]市場
[下左]バロック街、マエストランツァ通り
[左頁]大港へと抜ける路地、コレージョ通り

AGRIGENTO

アグリジェント

のどかにアーモンドの花咲く神殿の「谷」

［右頁］
双子神ディオスクロイ（＝カストルとポルクス）の神殿（俗称）
Tempio cosiddetto dei Dioscuri
前5世紀末の建立。19世紀に再構築されこの町のシンボルとなった。

［左］
ギリシア時代の市壁跡
Mura greche
全長12.9km。自然の地形を利用している。

アフリカに面した海に臨むこの地に春の訪れは早い。冬といえども湿り気によって息を吹き返した大地は草花におおわれ、二月ともなればアーモンドの木々が梅に似た花をほころばせる。

そのような台地に点々と残るギリシア神殿はもはや黄土色の凝灰岩の肌をさらけ出し、のどかな田園風景にすっかりとけ込んでいる。

神殿の「谷」

神殿群のある考古学地区は、かつてアクロポリスであった旧市街の眼下に広がる台地である。Valle dei Templiをわが国では「神殿の谷」と訳しているが、ヴァッレには川の流域や洲という意味もあり、実際に二つの川に挟まれている。そのうち東側の崖下を流れる川の名、**アクラガス**がギリシア時代の都市名とされたのだ。

台地の南東端には**ユノ（ヘラ）・ラキニア神殿**（俗称。31頁）の列柱がそびえている。崖の上で白く輝いていた様を想像しよう。基壇や柱の所々に白しっくいの跡が見て取れる。ヘラは花嫁の後ろ盾にして船乗りの守護神であった。

間を置いてその西には重厚なドーリス式神殿が完璧な姿をとどめている（32頁）。長らく教会堂に転用されていたからである。祀られていた神は不明だが、かの哲学者エンペドクレスの時代に非戦中立を守り、現代も世界平和を祈って毎年アーモンドの花祭りを催すこの町に、**コンコルディア**（和解、協調）という神殿の名は実にふさわしい。

ところで原始キリスト教時代、この神域は墓地となったので、凝灰岩質の地面にも市壁の内側にも墓穴が穿たれた。そして近世には英国人ハードカッスル卿がここに屋敷を構えて発掘と整備にいそしんだ。前六世紀にさかのぼる**ヘラクレス神殿**（次頁）の柱も彼が立て起こさせたものである。

その前にある駐車場の西側は**オリュンピアのゼウス神殿**（33頁）の神域である。前四八〇年のヒメラ戦で得た大量

ヘラクレス神殿 Tempio di Ercole　前520年頃の建立。
キケロの著作『ウェッレース弾劾』（49頁参照）の中にも言及されている。

の捕虜を人足として着工された土木工事のひとつで、ギリシア世界でも最大級、一般の神殿の四倍ほどの広さをもち、屋根がなく、外壁にはつけ柱と人柱像《テラモン》が交互に巡らされていた。石材の大半は失われてしまったが、手前の祭壇や崩れた柱頭からもその規模が想像できる。遺構の中には軒を支えていた巨人（複製）が風化して横たわっている。さらに西は、豊穣を司る**地下神の母娘**を祀った神域であり、丸い祭壇や**双子神カストルとポルクスの神殿**（俗称）の四本柱が残っている。その西側の窪地は**コリュンベトラ**（35頁下）という古代の人工池であったが、近年整備されてのどかな植物園となっている。

　遺跡は市壁の外にも見え隠れしている。古代には今の五倍以上、約三十万（推定）の人口を擁した大都市であったのだ。そして前三世紀、この地を征服したローマは、地名をアグリゲントゥム（農民、農地）と改めた。

［左頁上］**ユノ（ヘラ）・ラキニア神殿** Tempio di Giunone Lacinia
崖の上にそびえる様が、船乗りにとって南伊のクロトンのラキニオン岬を連想させたからか、そう呼ばれている。

［左頁下］**豊穣を司る地下神の母娘を祀った神域に残る丸い祭壇**
Altare nella zona delle divinità ctonie

［上・左］
コンコルディア神殿（俗称）
Tempio della Concordia
前5世紀半ばの建立。神室のアーチは6世紀末に教会堂となった時のもの。18世紀に復元された。現呼称は近くで出土した碑文に因む。

アクラガスの成立と発展

前581年、クレタ島とロドス島からの植民によりゲラの副次都市として建設され、その数年後に現れた僭主ファラリスにより内陸部へと領土を押し広げた。この僭主は「青銅の牛」を鋳造したことで知られている。中に罪人を入れて下から炙るとうめき声が牛の口からもれ聞こえるという処刑具で、最初の犠牲者は考案者であったという。

前5世紀には、シラクーサと同盟した僭主テロンのもとでヒメラ戦争に勝ち、繁栄の絶頂を迎えた。その後は民主制となり非戦中立を唱え、エンペドクレスが善政を行なうなど、泰平の世を謳歌した。だが前406年、カルタゴに攻囲されて陥落した。

オリュンピアのゼウス神殿 Tempio di Giove Olimpico

［上］テラモン（人柱像）の複製。高さ約8m弱。外壁に巡らされた高さ約17mの円柱の間で軒を支えていた。オリジナルは考古学博物館に。

［中］同神殿のつけ柱の柱頭。円柱基部の直径は4.2m。

［下］石材の内側には、積み上げる際にロープをかけるためのU字溝が刻まれていた。石材の大半は、エンペドクレス港の建設に流用されてしまった。

以下、ノーベル賞を受けたシチリアの詩人サルヴァトーレ・クワジモドが詠んだ詩の拙訳である。

アグリゲントゥムの道
そこには風が吹きつけている
からだを斜めにして平原を駆けぬける馬の
たなびくたてがみを思わせるごとき風が、
草の上に仰向けに横たわる、哀れなテラモンの
砂岩でできた体と心を傷めつけてむしばむ。
うらみでかき曇った、古き魂よ、あの風のもとで
天から逐われたあの巨人たちを包む
ほのかな苔のにおいをかいでみるがいい。
お前のところには人けもない！
おまえが悲しむほどに耳をつくあの音は
海の方へと遠ざかる
その水平線をもう宵の明星がかすめている
マランザーノ［口琴］の哀しい音が響く
月あかりに照らされた丘へと引き返す
馬車引きの咽もとで、のんびりと
サラセンのオリーヴの木々のつぶやきの中で。

※マランザーノは小さな民族楽器。歯にはさみ、鋼鉄の弦を指ではじいて、喉の奥でビヨヨ〜ンという音を響かせる。

サント・スピリト教会
Chiesa di S. Spirito
堂内はジャコモ・セルポッタ(パレルモ出身のバロック彫刻家)のしっくい装飾で飾られている(近所に鍵番が住む)。

旧市街

近世までジルジェンティと呼ばれていたアグリジェントの旧市街は、古代のアクロポリス(城砦)であった。目抜き通りがアテネア通りと呼ばれているように、アテナ神殿があったと考えられている。国鉄駅の北側、県庁舎前のアテネア門から、ピランデッロ劇場のある市庁舎へ抜ける道の左右には階段や坂の横道が多々ある。この教会の他には、ギリシア神殿の基壇上に建つサンタ・マリア・デイ・グレーチ教会、丘の頂きに建つドゥオモや司教館などが見どころ。

また、エンペードクレ港へと向かう途上のカオス地区には、ノーベル賞作家ピランデッロの生家と墓があり公開されている(36頁)。

考古学博物館 Museo Archeologico
手前の丸い集会場はエックレシアステリオン(民会場)、左手の遺構は、ファラリスの祠(俗称)と呼ばれている。
館内には、近郊のサンタンジェロ・ムクサロから出土した「カミコスの」金杯と指輪(113頁)の複製、アクラガス貴族の富を物語るみごとなアッティカ陶器、ゼウス神殿のテラモンをはじめ各神殿の建築部材、奉納用陶像、大理石のエフェボ(青年像)、立派な石棺と副葬品などが展示されている。
隣のサン・ニコラ教会にもフェドラの物語が浮き彫られた古代石棺が置かれている。向かいには住宅街が発掘されており、美しいモザイク床も出土している。入場券は博物館と共通。

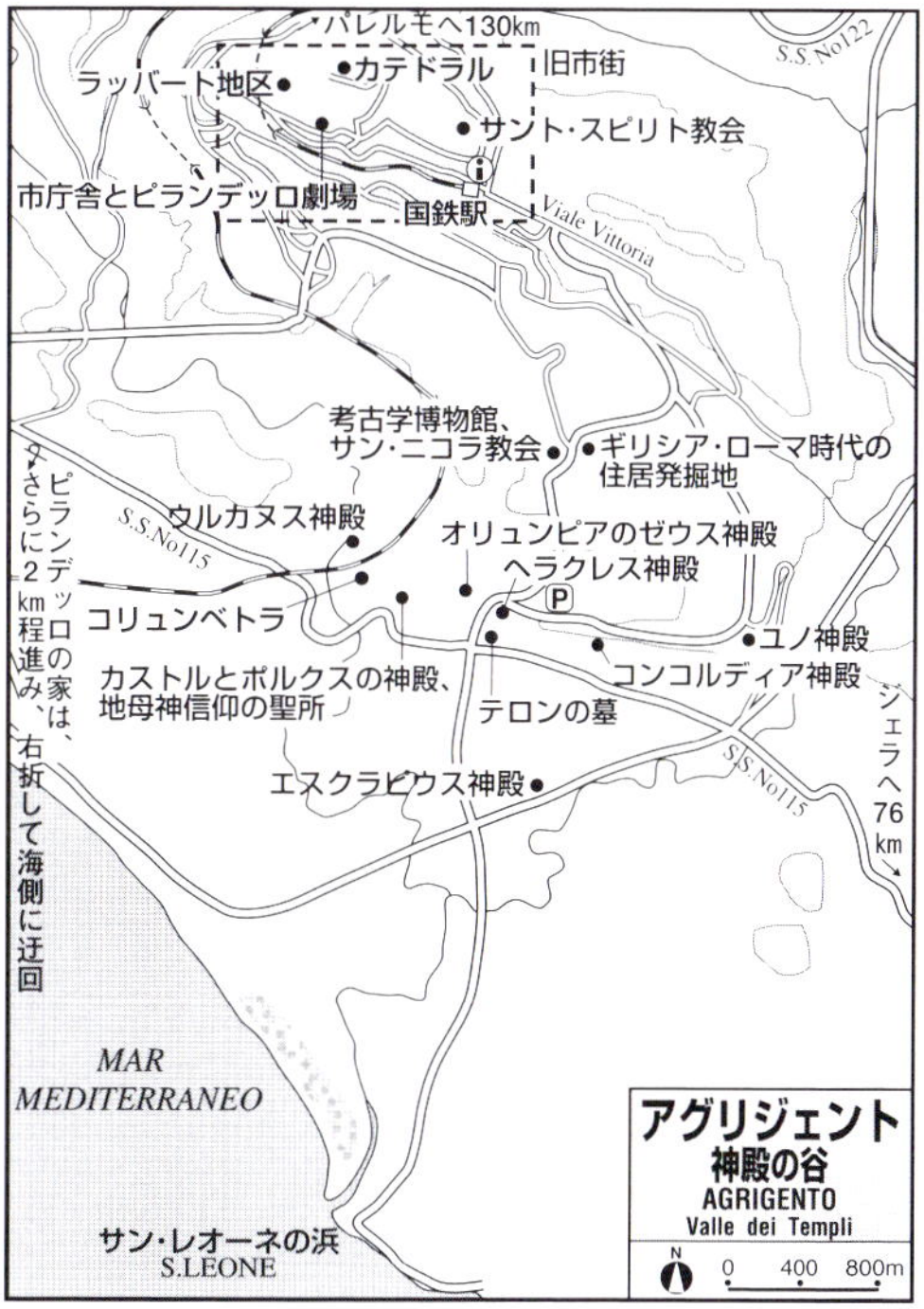

［上］**シチリアの装飾荷馬車** Carretti siciliani

2月のアーモンドの花祭りという世界平和のためのフォークロア祭最終日には、このような荷馬車がパレードをする。

［下］**コリュンベトラ** Kolymbetra

前480年のヒメラ戦勝後、アクラガスでは大量のカルタゴ人捕虜を使って、神殿のほか、地下水道とこの水槽が建設された。カストルとポルクスの神域西方にある。FAI（イタリア環境基金）によって庭園となり、2005年から公開されている。

カオス地区の情景

COLUMN 01

ルイジ・ピランデッロ

ノーベル文学賞を受けた古典的作家ピランデッロ（Luigi Pirandello）は、近代演劇の父ともみなされている。前衛的な構想による『作者を探す六人の登場人物』などの戯曲はわが国でもしばしば上演されているし、近年にも伝記の訳（尚学社）や戯曲集（新水社）が出版されている。また、シチリアが舞台の綺譚を綴ったタヴィアーニ兄弟の詩情あふれる映画『カオス・シチリア物語』（DVDは紀伊國屋書店より発売）は彼の短篇（短篇集『一年間の物語』よりの抜粋）が原作となっている。

ピランデッロは、硫黄鉱山をもつ実業家の息子として、イタリア統一後まもない一八六七年、アグリジェントの近在に生まれた。幼い時に郷里を離れ、パレルモ暮らしを経てから常に本土で暮らし、実家の破産や妻の精神不安などで苦労を重ねつつ文学的才能を開花させた。代表作の長篇『生きていたパスカル』（福武文庫他）をはじめ多くの作品には、当時の世相とともに作家の心の中を覗き見る感があり、アグリジェントの風景をほうふつとさせるものもある。

以下、韻をふむことはできないが、彼が郷里への憧憬を詠った詩と、有名な遺言を拙訳してみた。

ルイジ・ピランデッロ
©Arch. I.G. De Agostini

帰郷

生まれ故郷の田舎の一軒家、
あの道。
青い粘土の高台に、ぽつんと浮かび、
その眼下には、荒涼としたアフリカ海が、
熱烈な波の泡を送ってよこす、

おまえがいつも見える、いつも、遠くに、
わが小さき命が巨大でうつろなこの世に
目をあけた瞬間を思うとき。
ここから、まさにここから歩み始めたのだ。

オリーヴの木立に囲まれ、野生のミント
と香ばしいサルヴィアの茂る、
この小道から世界に向かい歩き出したのだ、
無知で自信家だった私が。

そしてたくさん、たくさん、
おお、侘しい垣根の陰にひっそりと咲く
草花たちよ、こんなにもたくさん歩いて、
私はお前たちのもとに立ち戻るのだ、
肩を落としてくたびれて。

詩集『ザンポーニャ』より

守られるべきわが最後の望み

私が死んだら沈黙を守ってほしい。
友にも敵にも願いたい。新聞や雑誌に
追悼文や記事など書かぬよう。
死亡告知も、葬儀への参列も無用。

死んだら晴れ着など着せず、
裸体をシーツにくるんでくれ。それには
花も添えず、ろうそくも灯さずに。

霊柩車は最低級の、貧しい人用のものを。
覆いもなし。親族も友も、野辺送りは不要。
馬車、馬、馭者、それだけでよし。

火葬にしてくれ。焼けたらすぐに散骨を。
遺骨さえも残したくないのだ。
だがもしそれがかなわぬのなら、
骨壺をシチリアへ運び、私の生まれた、
ジルジェンティの田舎にあるそのへんの
岩の塊に埋め込んでほしい。

一九三六年十二月、ローマで他界したピランデッロは、遺言どおりに火葬された。遺骨は戦後に郷里へと移され、しばらく市立博物館のギリシア壺の中に安置された後、生家の近く、一本松の下に整備された岩の墓に埋葬された。

SELINUNTE

セリヌンテ

「アフリカ海」に臨む神殿群の夢の跡

アクロポリスのC神殿（前6世紀半ばの建立）

アクロポリスの支壁 Muro a gradoni dell'acropoli
セリヌンテは、シラクーサの北方におけるメガラ・ヒュブレアの副次都市として前7世紀に成立した。その発展に脅威を感じた内陸部の先住民エリミ族の都市セジェスタは、まずアテネに軍事介入を頼み、アテネが敗退すると今度はカルタゴにすがった。それに応じたカルタゴ軍の急襲により、前409年、あえなく壊滅した。

その広大な遺跡は、もはや干上がってしまった河川港の東西にまたがっている。西側は小高いアクロポリスだ。アフリカに面した浅葱色の海に浮かぶ商船団を想い描いてみよう。カルタゴ軍に滅ぼされたこのギリシア都市はもともとカルタゴとの交易で栄えていたのだ。瓦解して風化した石材の山が諸行無常を物語る。丘の中央に一部立て直された列柱は**C神殿**のもので、アルカイック彫刻をもつメトープ（梁の装飾板）はパレルモの考古学博物館にある。東の神域に並ぶ三つの神殿は、南のものから便宜上EFGと呼ばれる。再構築された**E神殿**はヘラを祀るという碑文が見つかっており、クラシック期の優雅なメトープ彫刻も出土している。北の**G神殿**（出土した碑文の新解釈によればゼウスを祀る）は古代世界でも最大級の規模であった。近寄ると、未完のまま崩れた柱の太さは直径三メートル以上。その巨大さが実感される。

クーサの採石場 Cave di Cusa
セリヌンテの西方12〜13kmには、砂質石灰岩の採石場があり、G神殿の円柱を切り出す作業が前5世紀末から中断されたままになっている。

［上］**E神殿**（前5世紀の再建）　1950年代の再構築。

［左2点］
C神殿とそのメトープ彫刻（前6世紀）
右はいたずら者のケルコプスを退治したヘラクレス、中央はアテナの加護を受けてメデューサの首をとるペルセウス、左は四頭立て戦車を駆る太陽神か？

［右2点］
G神殿
幅約54メートル、奥行約113メートル、高さは30メートルに及んでいた。

SEGESTA
セジェスタ
孤高にして未完の神殿、
そして青きティレニア海を望む劇場

［右頁・左］
謎多き神殿
トゥキディデスの『戦史』にはこの都市のことが多く語られているが、神殿についての記述はない。なお、ギリシア人はこの都市を、伝説上の建国者アイゲステスにちなみエゲスタと呼んでいた。

島の西部トラーパニ県、ティレニア海に面した湾の周辺にはきれいに作付けされたぶどう畑が大海原のようにうねっている。名に聞こえたぶどう酒アルカモの産地だ。セジェスタはその内陸部に分け入ったところにある。

遺跡の見どころは二ケ所あり、**劇場**のある東側のバルバロ山へはシャトルバスを使うことができる。つづら折りの坂を登りきったところにある広場はアゴラ（公共広場＝ローマ時代のフォルム）で、近年の発掘調査によって北西側と北東側に柱廊の舗床が露わになった。その背後から北に延びる小道の先に劇場がある。標高約四百メートルの北向き斜面に造成されたもので、舞台の彼方に真っ青なティレニア海の水平線を見通すことができる。

劇場の南側も発掘されている。山頂には中世の砦、その近くにはノルマン時代に建てられた教会、墓地、住居などの跡が現れたが、さらにその下からはモザイク床をもつヘレニズム期の住居や井戸も見つかっている。

下山しながら、緑濃い山ふところに抱かれた**神殿**の遠景をたのしむことができる。こちらの神域もやはり小高い丘になっている。山の中にただひとつ堂々と屹立する様には感慨深いものがある。だが、それは列柱の囲いのみ、床石も神室もなくがらんとしている。柱には縦溝がなく、基壇にはまだ石材運搬用のほぞが残っているところをみると未完のままのようだ。この神殿についての史料はないのだが、前五世紀後半、南方のセリヌンテに脅威を感じたセジェスタがアテネに接近した頃に着工され、アテネの敗退後に工事が中断されたものと考えられている。だがセジェスタは、青銅器時代に小アジアから渡来したエリミ族の都市として、同郷のトロイア人であるローマ建国の祖アイネイアスをもてなした（ウェルギリウスのローマ建国譚『アエネイス』によれば）ということで、ローマ時代にも優遇されて栄えたのだから、完成でき

[上]**劇場** Teatro

セジェスタは前4世紀末、シラクーサに征服された。この劇場はその後、前3世紀に設えられたものとされているが、ローマ時代にも整備された。舞台部分の発掘により前10世紀頃までさかのぼる痕跡も見つかっている。

[下]**山頂のアゴラ**

Agorà sul Monte Barbaro

なかったはずはないだろう。彼らの神殿に神室は不要だったということか。ともあれ二千四百年の時を経てもなお倒壊せずにある。ことごとく瓦解したセリヌンテのものを思うと何とも不思議である。近年の調査によって柱の基部に鉛の盤が見つかった。それは耐震目的の工夫だったのだろうか。全くもってこの神殿は謎に満ちている。

［2点とも］同神殿。基壇の石材には、運搬用ロープをかけるためのほぞが残っている。柱礎があるように見えるが、ドーリス式には柱礎はない。床石が敷かれていないのである。ゲーテは『イタリア紀行』の中でこの神殿を仔細に観察している。

COLUMN 02

古代シチリアの陶器、彫刻、建築

シチリアに大量入植してきたギリシア人は、都市づくりから宗教芸術にいたるまで本国のものに倣い、本国もうらやむほどのギリシア世界をうみだした。

まず陶器については、この島の博物館に収蔵されているものの量と質には驚かされる。小麦やチーズを大量に輸出し、みごとな陶器を輸入しては次々に墓に埋めていったのだ。前七〜六世紀にはコリントス産の東方化文様とよばれる空想動物や植物などが描かれた彩色陶器が多くもたらされた。前六世紀後半になるとアッティカ（アテネ地方の）産の**黒像式**（陶土の赤茶色の地に、釉薬による黒いシルエットが描かれる）陶器が好まれるようになり、さらに同世紀末以降は、逆にシルエットの部分に地色を残す**赤像式**が主流となった。いずれも神話や叙事詩の図柄が多い。前五世紀末、アテネがシチリア遠征の失敗などにより弱体化して輸出が衰えると、西方ギリシア世界では現地生産が盛んになり、リパリ島産のもののようにユーモラスでのびのびとした画風のものが現れるようになった。

おもな陶器の形をあげると、アンフォラは大容量の貯蔵および輸送用の双把手瓶。ヒュドリアは三つの把手がついた水瓶。クラテールはぶどう酒と水を混ぜるための混酒器。オイノコエやオルペは水差し。キュリクス、カンタロス、スキュフォスは酒杯。レキュトス、アリュバロス、アラバストロンは香油瓶である。

酒神、裸の曲芸師、喜劇役者が描かれた前4世紀半ばの混酒器
〈リパリ島考古学博物館蔵〉

次は彫刻であるが、シチリアでは大理石が採れないので輸入に頼り、さもなければ素焼きや石灰岩でつくられた。アルカイック期のものは顔が正面を向いており、前六世紀後半からはアルカイック・スマイルと呼ばれる表情が現れた。彫刻技芸に優れた都市セリヌンテのC神殿のメトープの浮彫り（写真39頁）が好例。前五世紀のクラシック盛期ともなると、同じくE神殿のメトープのように、自然な肉付きと動作をもつようになる。「モツィアの青年像」（写真110頁）もこれに相当する。ヘレニズム期には理想よりもむしろ個性や写実が追求された。近年海中から見つかった「踊るサテュロス」には躍動感すら見られる（写真107頁）。

建築はというと、独裁を厭うクラシック期のギリシア世界では、神殿や公館など、公的モニュメントの建設に富が注がれた。シチリアにおける神殿の大半は、縦長の神室の外側に列柱を巡らせた周柱式で、柱頭に彫刻装飾がなく、柱礎もなく、太めの柱による重厚なドーリス式である。正面と背面は似た造りだが、ギリシア神殿はすべて神室の神像に朝日が射し込むよう東向きであった。この様式は前六世紀以降の主流である。それ以前のものはほとんど残っていないが、考古学博物館ではテラコッタの建築部材などの出土品を見ることができる。

劇場は元来ディオニュソス神を祀る場であり、合唱隊《コロス》のための円形のオルケストラの周囲にすり鉢状扇形の観覧席《テアトロン》があった。舞台背景《スケネ》は時代とともに恒久的な列柱廊へと変化し、合唱隊から役者の演技に重きが移ると舞台《プロスケニオン》が設置され、オルケストラが削られていった。

TAORMINA

タオルミーナ

青きイオニア海と霊峰エトナをともに愛でる、太陽がいっぱいの街

タオルミーナから見下ろしたナクソス湾 Golfo di Naxos
最初に渡来したギリシア人がナクソスを建設した（前734年頃）と、トゥキディデスが伝えている。

ギリシア劇場 Teatro Greco

市心の4月9日広場 Piazza Ⅸ aprile
地名はガリバルディ来島の情報が誤ってもたらされた日を記念している。

この街は、ナクソスの浜を見下ろす標高四百メートルちかい**タウロ山**《モンテタウロ》の中腹にはりついている。目抜き通りの**コルソ・ウンベルト**が旧市街を水平に横切っているが、近世に下の海岸道路が建設されるまで、カターニアとメッシーナを行き来する旅人はこの町を通過したのであった。その中程に張り出した広いテラス（**四月九日広場**）からは、海とエトナ山の両方を愛でることができる。

観光の主眼となる**ギリシア劇場**へは、中世の**コルヴァイア館**前のゆるい坂を上っていく。海に突き出た崖の上という最高の立地を占める観客席からは壊れた遺跡の舞台ごしにエトナ山の雄姿ときらめく青い海を一度に愛でることができる。ほかには見逃しても損するものとてない小さな街だ。

思いっきり優雅な時を過ごしたい。

さて街の歴史だが、もともとはシクリ族の集落だったものが、前四世紀半ば、シラクーサによってギリシア化された。だが劇場の創建についての情報は乏しい。れんが材を見てもわかるように、ローマ時代に改築されている。

シチリアは前三世紀末、ローマによって征服されたが、前一世紀の内乱期にはポンペイウスの息子セクストゥスに加担してローマに叛旗をひるがえした。これを平定したオクタウィアヌス（初代皇帝アウグストゥス）はタオルミーナの住民をすべて流刑に処してここを植民市化し、「海賊より海を解き放った」と自慢した。街の中には**ナウマキエ**（海戦）と呼ばれる遺構があるが、その壁龕にはこの海戦に関わる彫刻や記念碑が飾られていたものと思われる（写真48頁）。

また、中世にアラブ人がシチリアを制圧しようとした時、ビザンツ総督府の牙城となったのはこの都市であった。タウロ山と隣のカステルモーラの要塞はこの時の遺構である。

タウロ山の頂きより見下ろしたギリシア劇場と市街地。

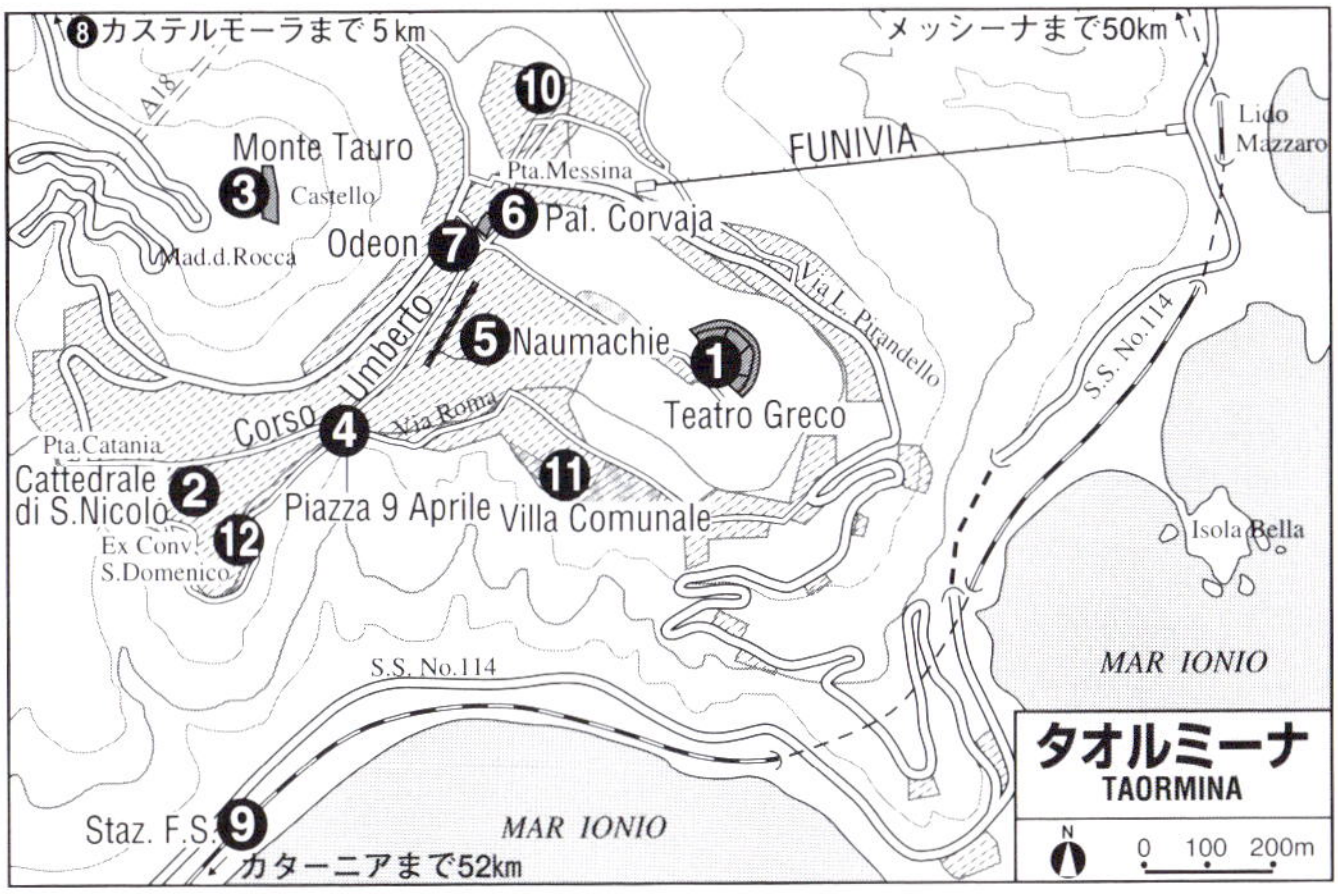

タオルミーナの市街図

❶ギリシア劇場
❷ドゥオモ
❸タウロ山頂
❹4月9日広場
❺ナウマキエ
❻コルヴァイア館
館内に観光局。Tel 0942-23243/4
❼オデオン跡
❽カステルモーラまで5km
❾国鉄駅　市内へのバスあり。
❿サン・パンクラツィオ教会
イシス神殿の基壇が残る。
⓫市民公園
⓬旧ドメニコ派修道院
現在は高級ホテル。

ローマの穀倉
「偉大なるローマ」を被征服者の側から見ると

前二一〇年、ローマによって全土が征服され、最初の属州となったシチリアには、原則として任期一年の長官が送り込まれ、それを補佐する二人の行政官がシラクーサとリリベーオ（現マルサーラ）に置かれ、メッシーナやタオルミーナのような免税都市以外には一割税が課された。だがそれを文字通りに考えてはいけない。収税人の手数料、地方税、公共事業費、沿岸警備船団維持費なども別途徴収されたので、結局島民にはかなり大きな負担となったのだ。

奴隷の反乱

ローマがシチリアで接収した土地は公有地として通常、騎士階級や退役軍人などに貸与されたり、落札されたりした。前二世紀、ギリシアと中東を侵略したローマには安価な奴隷がもたらされ、シチリアの土地の開墾にも大量に投入された。先進文明圏からやって来た彼らは牛馬のように酷使される境遇に絶望し、二度の大規模で組織的な反乱を起こすことになった。

最初のものは前一三九年、島の内陸部中央エンナ周辺の農場で起こった。そのあるじは想像を絶するほど非人道的な守銭奴であり、衣類を欲する奴隷たちに追いはぎをやって自給するよう言い放ったという。彼らはそのようなあるじを殺すと、エウヌスという者をリーダーとして蜂起した。エウヌスはセレウコス朝シリアから連行されてきた者で、占いと予言と奇跡を行なうことができた。三日のうちに六千人の奴隷が結集し、やはり小アジア出身の羊飼い奴隷が起こした反乱と合流すると、母国に倣ってアンティオコスという名で王《バシレウス》に即位し、一万五千人からなる奴隷王国を七年間存続させた。拠点のエンナでは独自の貨幣を鋳造し、議会や親衛隊を組織し、宮廷には道化師までいたと伝えられている。

タオルミーナに残るナウマキエ（海戦）という遺構
Naumachie, Taormina

また前二世紀には、騎士階級の富裕化と政界進出が目立った一方、自作農の没落が進行したが、これをくい止めようとしたグラックス兄弟の改革が失敗すると、没落農民たちが暴動を起こした。

ここシチリアでも前一〇四年、そのような逃亡奴隷が蜂起した。彼らは森の中に集まってサルヴィオスという予言者を王に選び、西部の山岳都市トゥリオカラ（シャッカ内陸部のカルタベッロッタか？）に拠った。王はローマの元老院議員ふうに赤紫《ポルポラ》の縞入りトガをまとい、束桿《ファスケス》をもつ露払《リクトル》いに先導されて歩いたという。だがやはりローマ軍によって鎮圧され、円

エンナ Enna

島の中央に位置し、標高900mをこえる山岳都市で「シチリアのへそ」とも言われる。ふもとのペルグーサ湖畔は、ギリシア神話「ペルセフォネの略奪」（8〜9頁参照）の舞台とされている。街の東端には、周辺の穀倉地帯を睥睨するかのように穀物神ケレス（＝デメテル）を祀った神域がある（＝中世のロンバルディア城）。ローマ時代、ローマに反乱を起こした奴隷軍の本拠地としても知られている。

ギリシア時代にエンナ、ローマ時代にカストゥルム・ヘンナエ、アラブ時代にカスリヤンニ、キリスト教時代はカストロ・ジョヴァンニと呼ばれ、ファシズム期にエンナに戻された地名は、島の歴史を映し出している。

形闘技場で獣の餌食にされるなど、むごたらしく処罰された。

なお、これらの顚末を書き残したのは、シチリア内陸部の町に生まれ、カエサル時代のローマに暮らし、人道的な理想主義を以て執筆した歴史家ディオドロスである。彼が三十年を費やして取材執筆した膨大な量の伝説や史話は今日、シチリア古代史研究の基礎史料となっており、英、伊、独、仏の訳本（邦訳は神代のみ）が出ている。

ウェッレスとキケロ

このディオドロスがまだ子供の頃、シチリアにウェッレスという長官が赴任してきた。元老院議員階級の子として生まれ、若い時から不正と悪徳になれ親しみ、不正選挙によって政界入りした人種であった。赴任先で汚職による蓄財の味をしめ、前七三年、シチリアに長官として配属されるや手ぐすね引いて悪事の限りを尽くした。収税のごまかし、威嚇による収賄の強要はもとより、窃盗団を組織して神殿や私邸の美術品や財宝を盗み出したりもした。そして任期の一年が過ぎた後も居座り、結局三年に及んで悪事をはたらき続けた。

もちろん島民はローマの元老院に訴えた。それに応えて正義感あふれる法律家キケロ（当時三十六歳）が立ち上がり、膨大な資料を集めて前七〇年、ウェッレスを告発した。被告は名高きホルテンシウスに弁護を依頼したものの、敗北を悟ると裁判を欠席し、姿をくらました。キケロはその後、あたかもこの裁判が続行されたかのようにして記録をつづり、『ウェッリーネ』として出版した（わが国でも岩波書店のキケロー選集に『ウェッレース弾劾』という訳本がある）。

「シチリアはローマ共和国の穀倉にして、ローマ人民の乳母である」という有名な大カトーの言葉も、この書物の中に見いだされる。この記録によると、ウェッレスの統治下、「一割税」は実質五割にも達しており、地方税も含めると農民の負担は七割五分にものぼり、彼の在任した三年間に約六割の弱小農民が土地を手放して没落したのであった。その後も実態はさほど改善されず、「パクス・ロマーナ（ローマの平和）」と言われたアウグストゥスの時代にも、シチリアでは奴隷の反乱がくりかえされた。このような屈従の時代はビザンツ支配が終わるまで延々と続いたのである。

VILLA ROMANA DEL CASALE

ピアッツァ・アルメリーナ近郊の森

カザーレのローマ離宮

ローマ時代の豪勢なモザイク床

4

3

2

内陸部のエンナ県下、人里離れた山の中で第二次大戦後、みごとなモザイク床をもつローマ時代の屋敷跡が発掘された。今では世界文化遺産に指定され、シチリア観光屈指の名所の一つとなっている。

構内に入ると浴場部分の床下や焚き口が見える。熱風を通して浴室を温めたのだ。放射状に冷水浴槽や脱衣室を配した八角形の間（浴室群）❶を覗き、凱旋門のような門構えの広い玄関から屋敷内に入る。まずは談話室のような水洗トイレがある。浴場入口❷には侍女を従えた女主人と子供たちが、浴室運動場❸には戦車競技が描かれている。有名なビキニの十少女❹は後世の改装によるものだ。中庭を中心とする部屋の数は五十以上もあるが、圧巻は大狩猟の廊下❺である。その東側中央には、後陣アプシスと多色大理石の床をもつ大広間バシリカがある。南に離れた西向きの食堂トリクリニウム❻にはヘラクレスの功業や酒神の神話が描かれて

❺

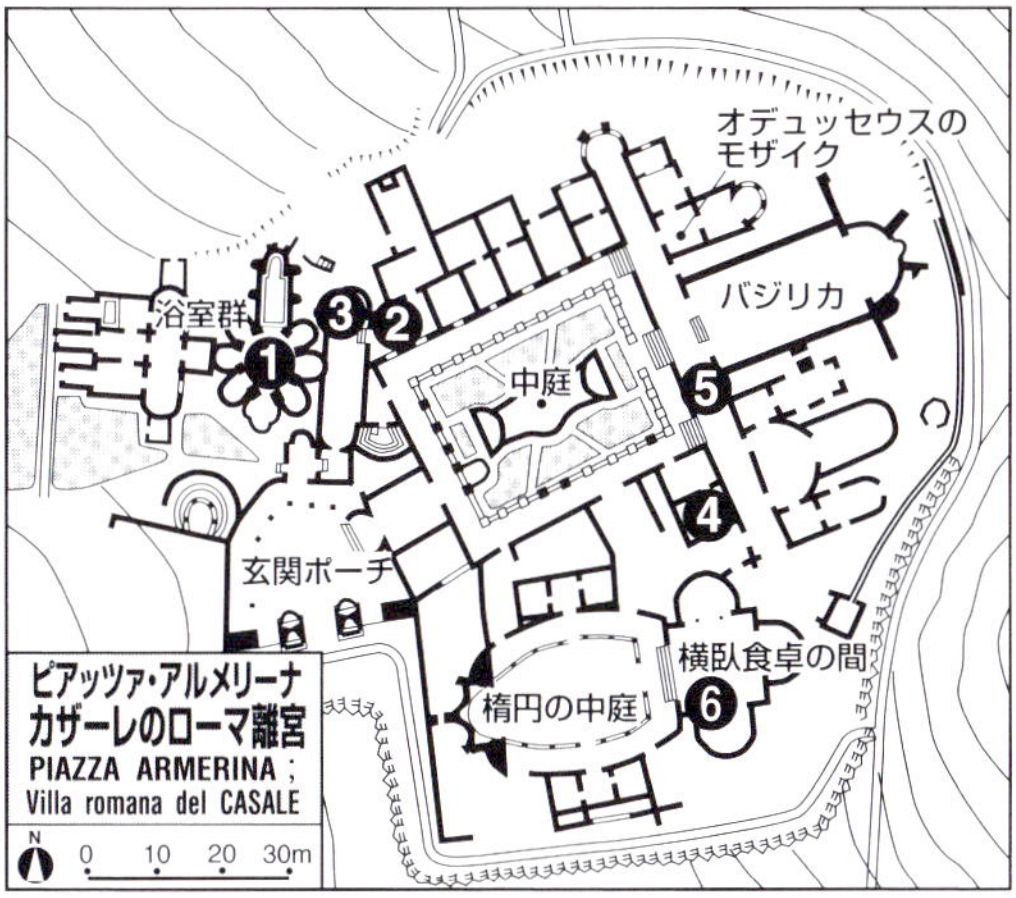

❻

いる。廊下奥の南東部分は子供部屋、北東部分はあるじ夫妻の部屋である。

屋敷の建設年代は三世紀末頃と推定されるが、あるじはまだ確定されていない。当初の発掘監督官は、アフリカでの猛獣狩りやヘラクレスを主題とするモザイク画などから、四分割統治期（二九三～三一三年）にヘラクレスを自称し、イタリアと北アフリカを治めていたマクシミアヌス帝ではないかと推論した。だが確証はなく、異説もある。島内には、これに似たモザイク床をもつ屋敷が、テッラーロ（ノートの近く）とパッティ（東部北岸）にも見つかっている。

❶**浴室群**

❷**浴場入口**
侍女を従えた女主人と子供たち。

❸**浴場の運動場**
戦車競技。

❹**ビキニの十少女**

❺**大狩猟の廊下**
幅5×長さ65.93m。

❻**トリクリニウム**
ヘラクレスに矢を射られた巨人族。

PALERMO

パレルモ

歴史が落とした光と影

クワットロ・カンティ　Quattro Canti

各所に植えられた椰子の木々。南国情緒満点のパレルモは、七十万の人口をかかえる現代シチリアの州都である。空港からの旅人は、壮麗な建物と街路樹に縁どられた新市街の大通りを南下しながら市心に至る。だがパレルモの醍醐味は旧市街にあ

ベッリーニ広場 Piazza Bellini

る。あの朱色のクーポラをいただくノルマンの教会堂、おどろおどろしいバロックの館、朗々とした魚屋の呼び声が響くスークのような路地市場……ここには多様な文化と歴史のすべてが混沌として蝟集《いしゅう》しているのだ。

クワットロ・カンティ

かつて今の旧市街には西から海へと二本の川が注いでいた。海洋民族フェニキア人はそれらの川と入江に囲まれた小高い丘を居留地とし、城壁で囲った。今の王宮から入江に向かう直線路はその当時からの目抜き通りなのである。中世のアラブ時代に市街地は広がり、ノルマン人は古代の城砦の上に王宮を築いた。そしてハプスブルク朝スペインの支配下、都市の大改造が行なわれた。二本の川は暗渠《あんきょ》化され、入江は埋め立てられ、目抜き通りに直交する直線路が建設されたのだ。

　こうして生まれた四つ辻が十七世紀以降、旧市街の中心となった。この十字路を形づくる四つの建物の角（**＝クワットロ・カンティ**）は、交差点を丸く切り取るように凹面をなし、バロック彫刻で飾られた。それぞれ下の階から順に、四季を寓意する噴水、カール五世（南南西の角）と三人のフェリペ王の像、市の守護聖女と紋章である。

　この交差点の南東部に廻り込むと、巨大な噴水装置で占領された**プレトリア広場**（写真62頁）がある。カール五世の右腕として長年ナポリ総督を務めたドン・ペドロ・デ・トレドが、娘エレオノーラ（トスカーナ大公妃）の近くで余生を過ごそうと、トスカーナの別荘につくらせたものだが、その死後に息子がパレルモに売りつけたのだ。その傍らに建っているのは市庁舎である。

　そのさらに裏手の広場（**ベッリーニ広場**）には、ノルマンの重要な教会堂が二つ並んでいる。向かって左手のバロック風ファサードをもつ教会は、十二世紀半ば、ノルマンの初代シチリア国王ルッジェーロ二世の右腕として世に知

［左］**海軍提督の聖母マリア教会**
Chiesa di S. Maria dell'Ammiraglio
（現ラ・マルトラーナ La Martorana）

奥行きのある長堂式に見えるが、西の入口部分と東の後陣が後世にバロック様式で増築されたからで、創建当初（1143年）はギリシア風の方形プランであった。内壁と天井はビザンツ風金地モザイクによる聖母の物語で飾られている。奉献者アンティオキアのジョルジョが聖母にひれ伏す図と、有名な下の写真のモザイクもここにある。15世紀に隣接するマルトラーナ修道院に委ねられた。
ちなみに、海軍提督（アンミラリオ）の語源はアラビア語のアミール（宰相）である。シチリア王国の宰相が、強力な艦隊を率いて活躍したことからうまれた言葉なのである。

［下］**ビザンツ風王衣のルッジェーロ2世がキリストから加冠される図**

サン・カタルド教会 S.Cataldo

られ、地中海を所狭しと航行した宰相アンティオキアのジョルジョによって建てられた**海軍提督の聖母マリア教会**《サンタ・マリア・デッランミラリオ》である。堂内はまばゆいばかりのビザンツ風金地モザイクでおおわれている。

　そして右手の、朱色のクーポラを三つ載せた**サン・カタルド教会**は、二代目の王グリエルモの宰相、バーリのマイオーネの屋敷内における礼拝堂だったのだが、今はこれだけが独立した小聖堂として残されている。簡素ながらも、透かし窓《ムシャラビア》や林立する円柱が堂内にエキゾチックな空気をかもしている。

中世地中海王国の首都パレルモ

古代にギリシア語でパノルモス（全てが港）と呼ばれていたこの町は、九世紀に侵攻してきたイスラム教徒によって征服され、その首府となった。当初は長官《ワーリー》が送り込まれたが、やがて自治権をもつ首長アミールが任命され、後に独立王朝となった。その支配下では、異教の信仰は禁じられなかったし、開墾や灌漑が奨励され、柑橘類やメロン、さとうきび、桑などの新しい作物が導入されて、島の経済は活気づいた。

さて、北フランスを故郷とするノルマン人の中には十一世紀に南イタリアに進出した一派がいたが、中でもアルタヴィッラ（仏名オートヴィル）家の兄弟は英雄的資質を以て頭角を現わした。そしていよいよシチリアへも目を向け、少数の軍勢ながらも艦隊を整えると遂に一〇七二年、パレルモを陥落させた。以後は、シチリア伯に任ぜられた末弟ルッジェーロ（仏名ロジェール、ラテン語名ロゲリウス）が忍耐強く半生をかけて全島を制圧した。大伯と呼ばれたほどの人徳と善政にイスラム教徒も心服し、大伯も有能な彼らを重用した。

大伯の没後、未亡人となった女伯は幼い世継ぎを連れてカラブリアからパレルモに遷都した。先祖伝来の器量と野心をもつルッジェーロ二世は、エキゾチックな都で、国際的な帝王教育を受け、多言語を自在に操って多民族を治めることのできる東方的専制君主となった。ノルマンの法では、王権は神からの神聖な授かりものとされていたし、父の大伯がローマ教皇からその代理権を授かっていたため、聖俗、両方の世界に君臨できたからである。

対外的には財力と海軍力を背景に、北アフリカや東方のビザンツ領にまで派兵し、甥の没後は南イタリアを併合し、シチリアを王国に格上げさせるなど、野心的なところを見せた。もっとも、それを確実なものとするには抵抗勢力と根気づよく戦争を行なわねばな

王室礼拝堂 Cappella Palatina
聖ペテロに献じられている。内陣とクーポラの金地モザイクにはギリシア文字が見られる。ビザンツの職人が招聘されたからであろう。

［上］**王室礼拝堂**

［左］**ノルマン王宮の東側**
Palazzo dei Normanni

［右］**サン・ジョヴァンニ・デリ・エレミティ教会**
S. Giovanni degli Eremiti
王宮の南隣に建てられ、王家の祭事を任された。5つの朱い丸屋根をもつ。

らなかったのであるが。ともあれ一一三〇年のクリスマス、パレルモのカテドラルで行なわれた戴冠式は「あたかも地上の富と贅がすべて結集されたかのようであった」と年代記が伝えている。そして十余年後、王宮内にみごとな**王室礼拝堂**《カッペッラ・パラティーナ》が奉献された。壁面には金地モザイクで聖書の物語が描かれ、木彫りのイスラム風格間《ごうま》天井は細密画で埋め尽くされている。それはラテン、ビザンツ、アラブの文化が折衷統合された唯一無比の空間、この王の融通無《む》碍《げ》と寛容を物語る空間であった。

パレルモの王宮では世界中の科学者や文学者が国王と自由に語らった。モロッコの地理学者アル・イドリーシーは地中海の地誌を調査し、銀盤に刻まれた世界地図と『世界遍歴を欲する者の慰み』という書を献上した。『ルッジェーロの書』としても知られるこの書には、驚くことなかれ、コロンブスに先駆けること三世紀、地球は丸いと記されていたのである。

［上］**ルッジェーロの間** Sala di Ruggero
ノルマン王宮の上階には議場や王族の居室がある。この部屋のモザイクはペルシア風の楽園や狩猟などがモチーフである。

［左］**ジーサ宮** Zisa
グリエルモ1世により1165年に着工され、2世により竣工した。その名はアラビア語の「輝き（アジズ）」にちなむ。水回りや空気循環システム、屋外の浴場施設などもアラビア風であった。当時はキリスト教徒の女性たちもアラビア風の化粧と装いをしていたとイスラムの旅行家イブン・ジュバイルが記している。

二人のグリエルモ王

ノルマン政権下のシチリアでは、二人のルッジェーロの後、今度は二人のグリエルモ（仏名ギョーム、ラテン語名ウィレルムス）が相次いだ。この同名の父子は容貌もタイプもかなり異なっていた。一世の方は褐色のひげをたくわえた勇猛な見かけにかかわらず、有能な宰相マイオーネに政務を一任して禁裏に引きこもりがちであった。とはいえ、早逝した兄たちの公領で反乱が起こるたびに出陣せねばならなかったし、腹心のマイオーネがノルマン貴族に暗殺されるなど、不穏な出来事もあった。一段落したところで、市の西の外れに優雅な**ジーサ宮**を着工したが、それが完成しないうちに赤痢で急死してしまう。まだ四十代半ばであった。

二世の方は金髪の可愛らしい王子であった。母の摂政のもとに王位を継ぎ、成人してからも人望を集めた。しかるに事態は暗転していく。まず、彼の家

モンレアーレの修道院の回廊とその柱
Chiostro del convento, Monreale

庭教師であったグアルティエーロ・オッファミリオがパレルモの大司教となって権力をふるい、先王の妹、王位継承権をもつ叔母コスタンツァをドイツのホーエンシュタウフェン家に嫁入りさせてしまったのである。

モンレアーレの大聖堂

パレルモへ行ってモンレアーレを見ないのは驢馬（＝馬鹿）の旅の如し、という箴言がある。そうまで言われるモンレアーレは、市の西方約八キロメートル、小高い丘の中腹にあり、かつては黄金盆地《コンカ・ドーロ》と呼ばれた平原を見下ろしている。見るべきものはそこの大聖堂である。堂内の壁が黄金の光を放つモザイク画（六三四〇平方メートル）によっておおわれている様は圧巻だ。実は、強大化しすぎたパレルモの大司教の権勢を削ぐため、パレルモの近くに別の司教座聖堂《カテドラル》をと、秘密裏に建立が計画されたもので、グリエルモ二世の夢枕に立った聖母が父王の財宝の在り処を指し示して聖堂の建立を命じたという話も取り沙汰された。これを聞き及んだパレルモの大司教は負けじと自分の大聖堂の改築に取りかかった。

ところが、王はイギリスの王女（リチャード獅子心王の妹）を妃としていたものの、世継ぎに恵まれないまま、三十代半ばの若さで病没してしまった（一一八九年）。その亡骸は両親や兄弟とともにモンレアーレの大聖堂に葬られた。なお、この聖堂には修道院の回廊が隣接している。それぞれ異なる柱頭をもつ二本組の細い円柱が巡らされ、椰子を象ったアラブ風の噴水が一角を占める優雅な空間である。

モンレアーレの大聖堂、後陣外壁と堂内
Duomo di Monreale
1183年に司教座聖堂となった。

［上］**パレルモ司教座聖堂、カテドラル** Cattedrale
1184〜85年、「アミール中のアミール」と称した大司教グアルティエーロ・オッファミリオによって建設されたが、後世に改築を重ねている。15世紀につくられた広場側玄関の左の円柱にはコーランが浮彫られている。

［右］**ポルタ・ヌオヴァ** Porta Nuova
カール5世による1535年のテュニス遠征を記念し、16世紀末に建設されたもので、4体のサラセン人の人柱像が支えている。屋根はマジョルカ焼き。

フェデリーコ（独名フリードリヒ）二世

グリエルモ二世の没後、王家傍系のタンクレーディが王位を継いだが、ほどなく赤痢で急死した。そこへ、ドイツ帝ハインリヒ六世が、妻コスタンツァ（ルッジェーロ二世の末娘）のシチリア王位継承権を主張しながら南下し、タンクレーディの遺族を脅かして王位を奪取する（一一九四年）。

一方、コスタンツァは四十《よそじ》にさしかかりながらも身ごもっており、夫の行軍から途中離脱すると、クリスマスの翌日、中部イタリアの小都市イエジにて王子を公開出産した。フリードリヒ赤ひげ帝とノルマンのルッジェーロ二世、偉大なる両祖父の血を引く傑物の誕生である。このフェデリーコ二世は、二歳の時に父を亡くし、その数年後、母にも先立たれた。母の計らいによってローマ教皇を後見人とし、高位聖職者よりなる執権団を摂政とした王子は、ドイツ人の浪人に誘拐されたこともあったが、エキゾチックなパレルモで異教徒や庶民とも交わりつつのびのびと育ち、文武両道に秀でた若者となって成人した。そして教皇の選んだ花嫁、イベリア半島のアラゴン家のコスタンツァ（母と同名）を妃に迎えた。彼女は十歳も年上の成熟した女性であり、洗練された趣味と華やぎをもたらした。

フェデリーコ2世の墓
背後には祖父ルッジェーロ2世の、右側には両親の棺がある（大聖堂内）。

こうして宮廷では王も家臣も雅びな俗語で詩を詠むようになり、隠喩に富んだアラブ詩の伝統をも汲むその流派はシチリア派《スクオーラ・シチリアーナ》と呼ばれてイタリア俗語文学の発展に多大な影響を与えることになった。

世界の驚異《ストゥポル・ムンディー》

親政を始めてまもなく、フェデリーコはドイツに赴くと八年をかけて帝権を確立させた。そしてその帰途ローマで神聖ローマ皇帝の冠を受け、十字軍の出陣を命じられた。イェルサレムへの出発はしばしば催促されながらも延期されたが、その八年後、水面下の交渉により流血なしの開城を実現させ、イェルサレムの王となった。ところがローマ教皇は、異教徒に戦いを挑まなかった皇帝を恥知らずとして破門する。皇帝も教会の虚飾と僧侶の贅沢を憎んだ。以後、教皇はフェデリーコにとって不倶戴天の敵となり、半島内は皇帝派ギベッリーニと教皇派グェルフィに分かれて争い続けることになった。

皇妃コスタンツァの冠
Corona di Costanza d'Aragona
〈大聖堂博物館蔵〉

また、知識欲が旺盛で探究心に富む皇帝の奇抜な行状や、サラセン軍団、珍獣、オリエンタルな舞踊団を伴うエキゾチックで豪華な移動宮廷は語りぐさとなったし、中央集権をめざした法令集『皇帝の書《リベル・アウグスタリス》』は人道的な啓蒙精神にあふれ、時代を先取りした面もあった。また、その領内には簡素ながらも幾何学と天文学の粋を駆使して多くの城を建設した。

だが一二五〇年の冬、プーリアの野で鷹狩りに興じていた皇帝は腹痛に襲われ、そのまま死の床に就いた。亡骸はパレルモに移送され、カテドラルに埋葬された。中世人を戸惑わせ、世界を驚かせたこの自由な精神のもち主は、明けの明星のようであった。

［上］**プレトリア広場の噴水** Piazza Pretoria（54頁の本文参照）

［左］**フェリーチェ門** Porta Felice
16世紀末、王宮から港への直線路が延長された折、その東端に着工され、17世紀に竣工した。門の南側の海岸通りは近世に市民の遊歩道（現フォロ・イタリコ）となってにぎわい、ブテーラ宮前の市壁の上には「寡婦の遊歩道 Mura delle cattive」というテラスが整備された。

シチリア島の夕べの祈り

フェデリーコ二世の死で教皇派《グエルフィ》は勢いづいた。教皇はフランス王の弟、アンジュー家のシャルルを南イタリアとシチリアの王とし、フェデリーコの遺児らを王位簒奪者として破門したのである。皇帝派《ギベッリーニ》の抵抗も虚しく、フェデリーコ二世の末裔は根絶やしにされ、シチリアはフランス人の支配収奪するところとなった。だが、島民の間には不満がくすぶり続けた。そして一二八二年、復活祭の翌月曜日、パレルモ南方の町外れの教会に人々が集まったとき、あるフランス兵が若い婦人に不埒な行ないをしたことから暴動が勃発する。またたく間に何千人ものフランス人が虐殺され、パレルモではすみやかに自治政府が発足し、独立運動は全島に波及した。

　この「シチリアの晩祷事件《ヴェスプリ・シチリアーニ》」は、以後長らく異国の支配下にあったシチリアの独立願望の象徴として後世にまで語り継がれることになった。ちなみに、この時に生まれた赤と黄二色の自治政府旗は今日の州旗の原型である。

独立はしかし教皇の切り札、破門による脅しのために挫折しそうになった。そこへ、亡命貴族らによって担がれたアラゴン家のペドロ王（フェデリーコ二世の孫娘の婿）がやって来る。こうして事はアラゴン家とアンジュー家の抗争となり、一旦は政略結婚によって講和したりしながらも結局九十年間も長引き、その間バロン（封建領主）が島内で専横をきわめることになった。

スペインの属国支配

その後も陰気な時代は続いた。十五世紀後半には、イベリア半島に生まれたスペイン王国によって異端裁判所が導入されたし、ハプスブルク家の時代には、対オスマン・トルコの前哨基地として主な都市が要塞化されて変貌を遂げた。パレルモの王宮が改築され、その旧市街にクワットロ・カンティがうまれたのもこの時期である。建築はことごとくローマに倣ったバロック様式であった。十六世紀に上陸したイエズス会もカトリック布教の立役者であった。また、内陸部の農村には、トルコによって祖国を逐われたギリシア系難民が受け入れられたりもした。

島内の貴族は、広大な所領を管理人に貸して、パレルモやカターニアなどの大都会に豪勢な屋敷を構え、贅沢な社交生活を送るのを好むようになっていった。一方、地主に顧みられない農地はやせていき、凶作や飢饉がしばしば起こるようになった。都市部では疫病も発生した。特に十七世紀前半、パレルモに蔓延した大規模なペストは、市北ペッレグリーノ山の洞窟でノルマン時代の隠者ロザリアの遺骨が発見されて収束した。この御利益によりロザリアは市の守護聖女となり（七月の祝祭は名高い）、その洞窟は聖地となった。

十八世紀初頭に起こったスペイン継承戦争とポーランド継承戦争の折には、シチリアはあたかも戦利品のようにやり取りされたが、結局、南イタリアとともに、スペイン・ブルボン家の次男カルロの国となった。

「死（神）の勝利 Trionfo della Morte」の壁画
おそらくヨハネの黙示録（第6章8節）を主題として、市民病院となったスクラーファニ宮の中庭の壁に15世紀に描かれたもの。〈パレルモ州立美術館蔵〉

［上］**ファヴォリータ公園内、中国風の小さな館**
Palazzina cinese
ナポレオン戦争中、シチリアに避難したブルボン家のフェルディナンド王が、パレルモ市北の狩猟園に当時流行の東洋趣味で建てたもの（非公開）。民俗学者G.ピトレの博物館が隣にある。

［左上］**パレルモ近郊バゲリーアのパラゴニア荘**
Villa Palagonia, Bagheria
由緒ある金の羊毛騎士団に属すグラヴィーナ家の5代目パラゴニア公により18世紀に建てられ、7代目当主の風変わりな趣味で飾られた。同世紀末、ここを訪れたゲーテがその奇怪さについて『イタリア紀行』の中で詳述している。

［左中］**同パラゴニア荘内、鏡天井の大広間**
「鏡に己の姿を映し、そこにあるきわめて華美なるもののはかなさを思え」という銘がある。

［左下］**同パラゴニア荘囲壁の奇怪な彫刻群**

バゲリーアは往年の貴族の別荘地であった。ダーチャ・マライーニの小説『シチーリアの雅歌』（邦訳：晶文社）や、R.ベニーニの映画『ジョニーの事情』の舞台であり、近くにソルントの遺跡がある。

ブルボン家の支配とナポレオン戦争

一七三五年、ナポリに本拠を構えたカルロ王は、シチリアに総督を送り込んだ。そして、時代の流れから著しく立ち遅れていたこの島を何とかしようと、初等教育の普及、農地改革などの啓蒙政策を導入したが、保守的な貴族による抵抗がいちじるしかった。

しかし十八世紀末に起こったナポレオンの嵐はシチリアにも少なからぬ揺さぶりをかけた。ナポレオン軍が南下して来たとき、シチリアに避難してきたブルボン王家を援護した大英帝国の海軍がこの島を守り続けたのであるが、その間、イギリスの実業家が島に資本を投入し、マルサーラのぶどう酒産業を始めとして、様々な事業が興ったし、知識人の間には人権思想や立憲思想などが広まったからである。

だが、ナポレオンが敗退し、一八一五年のウィーン会議によってナポリに返り咲いたブルボン家は、シチリアと

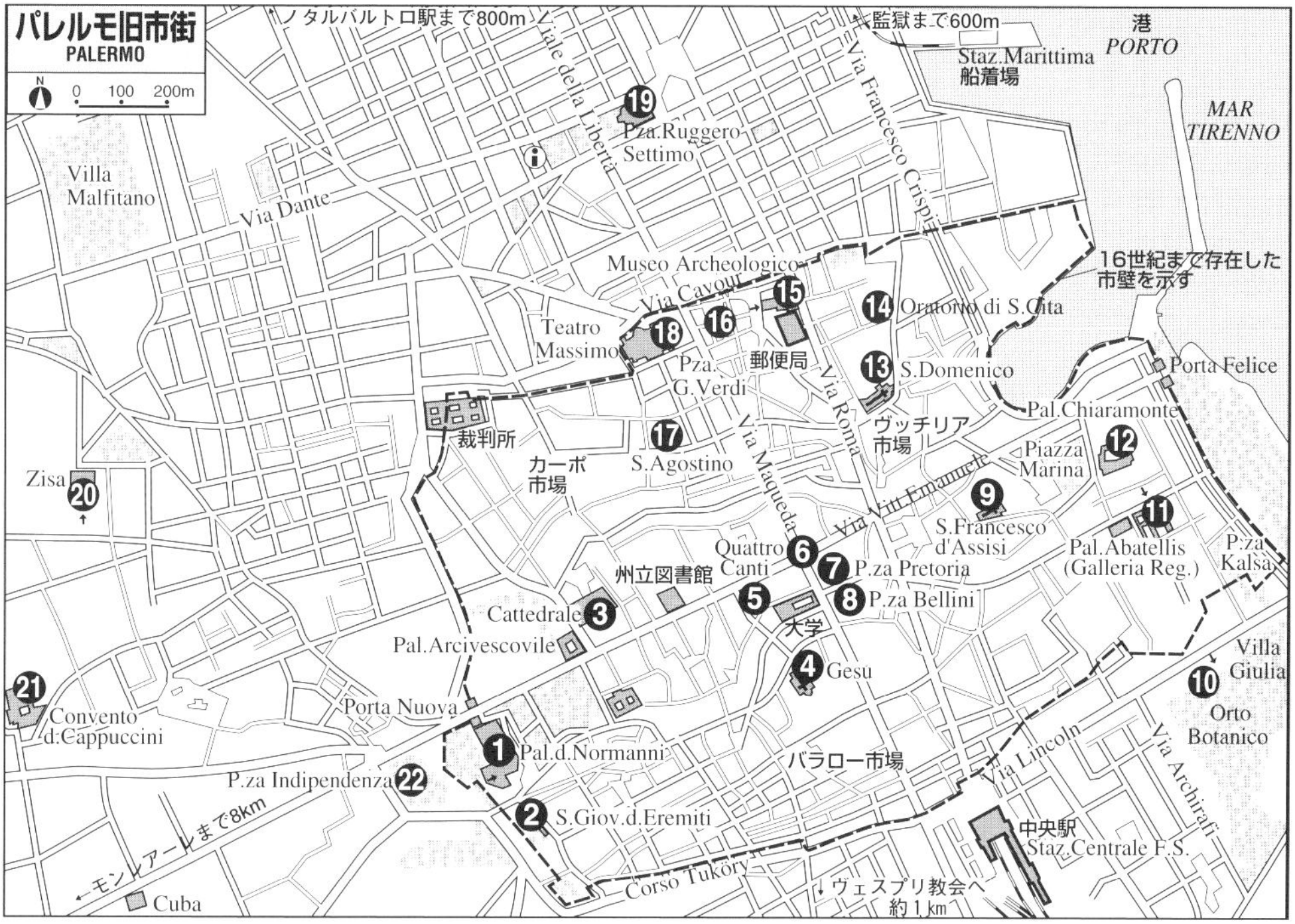

パレルモ市内の見どころ

❶ **王宮**（56〜57頁） 入口は南西の一角に。

❷ **サン・ジョヴァンニ・デリ・エレミティ教会** 5つの朱いクーポラをもつ。

❸ **パレルモ司教座聖堂、カテドラル**（60〜61頁）

❹ **ジェズ教会** その西はバラロー市場。

❺ **ボローニ広場** バロックの館が並ぶ。

❻ **クワットロ・カンティ**（52〜54頁）

❼ **プレトリア広場**（54頁、写真は62頁）

❽ **ベッリーニ広場**（54〜55頁）

❾ **サン・フランチェスコ教会** 隣のオラトリオとともに、14〜18世紀の彫刻美術で名高い。

❿ **植物園** Orto Botanico ブルボン朝期の創設。

⓫ **アバテリス宮の州立美術館**（63・101頁）

⓬ **キアラモンテ宮=ステーリ** 14世紀に権勢をふるったキアラモンテ家の城館。

⓭ **サン・ドメニコ教会** 裏手にオラトリオ。

⓮ **サンタ・チータのオラトリオ** ジャコモ・セルポッタのしっくい彫刻で知られる。

⓯ **州立考古学博物館** 3フロアと中庭に展示。

⓰ **クティッキオ家の人形劇場**（69頁）

⓱ **サンタゴスティーノ教会** 14世紀のゴシック様式。セルポッタのしっくい装飾がある。

⓲ **マッシモ劇場**（66頁）

⓳ **ポリテアーマ劇場**（67頁）

⓴ **ジーサ宮**（58頁）

㉑ **カプチン僧の修道院** 骸骨の地下墓所。

㉒ **モンレアーレ行きバスの発着所**

ナポリを合体させて**両シチリア王国**を立ち上げた。時代錯誤の絶対王政の押しつけに抵抗するシチリアの知識人層、封建的特権に執着するシチリアのバロン……あらゆる利害と意識が反ブルボン感情をかもすことになり、コレラが流行ればブルボン家によって毒が撒かれたのだと噂がたつほどであった。そして遂に一八四八年、パレルモで独立革命が起こった。革命政府はわずか十六ケ月で倒されたが、これはイタリア統一への先触れとも言える出来事であった。

［左頁］
ポリテアーマ劇場 Teatro Politeama Garibaldi
凱旋門の玄関をもつ新古典様式。1874年に落成。上階には、ラグーサ・玉の胸像（夫の作品）や絵画をもつ近代美術館があったが、今では旧市街のサンタ・アンナ修道院に移設された。

マッシモ劇場 Teatro Massimo
中世の市壁とマクエダ門、付近の旧市街を撤去した後、1875年に着工、1897年に竣工した。G.B.F.バジーレとE.バジーレの父子による建築で、外観は新古典様式、内装はアール・ヌーヴォー様式。ヴェルディの「ファルスタッフ」によって柿落としが行なわれた。

ガリバルディと千人隊

ナポレオン敗退後、オーストリアに占領された北イタリアでは、イタリア民族の独立と統一を標榜する運動（リソルジメント）が興っていたが、当時、大陸部に渡ったシチリア人の中には、ナポリ政府からのシチリア独立をこの運動に合体させようとする動きがあった。そして、サヴォイア家のサルデーニャ王国軍が主力となってロンバルディアの独立を勝ち取った翌一八六〇年の春、パレルモで起きた暴動に呼応するかのように五月五日の深夜、革命の志士ガリバルディと赤シャツを着た約千人の志願兵（千人隊《イ・ミッレ》）が、ジェノヴァ近くの小さな港からシチリア遠征に乗り出した。一行はマルサーラに上陸すると、民衆を味方につけながらパレルモを目指し、ブルボン軍を打ち破って革命政府を樹立させた（A・デュマがこれに合流し、行軍を取材したというエピソードがある）。

ラグーサ・玉（1861年～1939年。伊名エレオノーラ）：優れた女流画家。明治政府の招いたお雇い外国人ヴィンチェンツォ・ラグーサより西洋画を学ぶ。1882年、帰国する師に従って渡伊し結婚。五十余年間パレルモにて製作活動。同市には作品数点が一般公開されている。

統一イタリアへの併合

ガリバルディはそもそも共和派であったが、シチリアと南イタリアを征服すると、それをサルデーニャ王国の王ヴィットリオ・エマヌエレに献じた。つまりシチリア島民にとっては王制のままで王が変わったにすぎなかったのである。そして新政府は、シチリアにも徴兵制を導入した。だが、島では女性がほとんど野良で働かないという風習があるため、農民男子の大半はこれに応じず、逮捕を逃れて山賊となった。この問題に対して政府は軍隊を送り込んだ。また、教会や修道院の廃絶により没収された土地は、ガリバルディの言ったように小農民に再分配されるのではなく、不正に買い占められて新興地主を生んだ。このようなシチリアの変化は、G・T・ディ・ランペドゥーサによって後に『山猫』という小説(小林惺訳、岩波文庫)に描き残され、ヴィスコンティはそれを重厚な映画にした(116〜117頁参照)。

当時、シチリアの都会には新古典主義建築の壮麗なオペラ座が建てられ、貴族やブルジョワが華麗な社交をくりひろげた。一方で、貧窮したシチリアの労働者はファッシという組織的労働運動をくり広げたが、政府が送り込んだ三万もの軍隊によって撲滅させられてしまう。生活に行き詰まった人々の中には移民となって島を離れる者も少なくなかった。

第一次大戦の暗い影はそれに追い打ちをかけ、やがて自由主義政府に代わり、ファシズムが台頭する。古代ローマの栄光を標榜した煽動家ムッソリーニの関心はもっぱら軍事に向けられていた。

第二次大戦に敗れ、王制から共和制に変わったイタリアはシチリアを特別自治州とし、独自の政府と議会がパレルモのノルマン王宮に置かれた。統一以来甚だしくなった南北イタリアの経済格差を解消しようと南部開発公庫なるものが設立されたが、うまく機能したかどうかは疑わしい。戦後のシチリアにはマフィアという害悪がはびこっていたからである。ともあれ、近年、状況は少しずつ好転しつつあるようだ。

COLUMN 04

華麗なる世紀末

十九世紀、シチリア経済はかなり立ち後れていた。新政府の政策が北イタリアの工業発展を重視したという理由もあるが、もともとシチリア貴族には事業に投資する意欲が欠けていたのだ。十八世紀末に興ったマルサーラのぶどう酒産業がイギリス人によるものであったように、起業家はむしろ外国人だったのである。

そのような状況の中で銘記すべきは**フローリオ家**の成功と栄華である。第一の立役者ヴィンチェンツォ・フローリオ（一七九九～一八六八年）は、ナポレオン戦争時代に両親や叔父とともに半島南端のカラブリアからパレルモに移り住み、イギリス人相手に薬剤や香辛料を売って儲け、たばこ産業、保険業、まぐろ産業にも手を広げた。まぐろの油漬けは今でこそ一般的であるが、彼の考案によるものなのである。その後、マルサーラのぶどう酒産業にも参入し、パレルモの上層階級の仲間入りを果たすと、資本家を巻き込んで海運業を立ち上げ、政府の補助金を得て紡績と鋳物工場を興し、硫酸製造と硫黄の輸出を手がけ、軍需工場を開設して政府の仕事を請け負い、ナポリとシチリアを結ぶ郵船事業の認可を受け、王立銀行の総裁ともなった。イタリア統一後はうまく新政府側への転身をはかり、シチリア銀行を創設した。

息子のイニャーツィオ（才覚のあった叔父と同名）は海運業をますます盛り上げ、一八八一年にはジェノヴァのルバッティーノ家と組んでNGI（イタリア総合海運）を興した。一等船室に金持ちを乗せ、貧しい移民を船底に押し込め、彼らの船は盛んに大洋を往復したのである。彼と同名の息子が家督を継ぎ、その妻ビアンカも社交界の華であったし、末っ子のヴィンチェンツォは一九〇六年にタルガ・フローリオというカー・レースをシチリアで創始し、今日のF1のように世界中を熱狂させた。このようなフローリオ家は、パレルモのマッシモ劇場建設の最大のスポンサーでもあった。

一族お気に入りのパレルモ人建築家**エルネスト・バジーレ**は、イタリアにおけるアール・ヌーヴォー（あるいはリバティー）様式の第一人者である。マッシモ劇場は言うまでもなく、一族の屋敷や別荘（例えば、今は高級ホテルとなっているヴィッラ・イジェアなど）は彼の傑作であり、首都ローマでもモンテチトリオ宮の下院議事堂を手がけた。

［上］**ヴィッラ・イジェア、バジーレの間**
Sala Basile, Villa Igiea

ポリテアーマ劇場前、バジーレのキオスク
Chiosco Ribaudo

COLUMN 05

シチリア伝統の人形劇プーピ

シチリアのお土産物屋では中世騎士の操り人形を必ず見かける。王冠をかぶったシャルルマーニュ（フランク族の王カール大帝）、兜の羽飾りも鮮やかなオルランド（仏語ではローラン）やリナルド（同じくルノー）など、いずれもシチリア伝統の人形劇プーピ（Pupi）のヒーローである。

このプーピは、近世のシチリアにおける大衆娯楽であったのだが、テレビの普及によって廃れてしまっていた。とはいえ完全に民俗博物館入りしたわけではなく、映画『ゴッドファーザーPARTⅢ』に高名な人形師ミンモ・クティッキオが出演していたように、パレルモなどの観光地では伝統芸能としてしばしば上演されていた。それが二〇〇一年にユネスコの無形文化遺産に指定されてからは、改めて内外の注目を集めるようになり、再び活気づいている。

演目は子供相手の童話などではなく、騎士道文学からシェークスピアもの、歴史もの、キリストの物語など様々であり、もちろん大人も楽しめる。その中でもやはり最もポピュラーな演目は、シャルルマーニュの廷臣たる騎士たち（パラディーニ）が、妖艶な東洋の姫アンジェリカを奪い合って決闘したり、サラセン人と戦って軍功をあげたり、という顛末である。

このような騎士道物語は、中世のフランスにうまれて口承で民間に普及した武勲詩《シャンソン・ド・ジュスト》をもとに、ルネッサンス期のイタリアで、プルチの『モルガンテ』、ボイアルドの『恋するオルランド』、アリオストの『狂乱のオルランド』、タッソーの『解放されたイェルサレム』のような文学となった。それが人形劇となった経緯は不詳であるが、騎士道物語が好まれた南イタリアやシチリアで十九世紀から盛んになったことがわかっている。

人形のつくりや大きさ、操り方は、地方により、また劇団により様々である。例えば、パレルモの劇場は小さめで家族経営の場合が多く、人形も八十センチほど、重さは武具も含めて八キログラムほどで、舞台の袖から頭部と右手を支える棒二本と、剣や面頬などの小物や左手を動かすための糸を操る。カターニアなど島の東部のものは人形がより大きく、舞台の上から操る。人形は、ひざまずいたり、剣を抜いたり収めたり、実に巧妙な動きをする。馬や怪物も出て来るし、敵のサラセン人は頭がとれたり、体が真っ二つに割れたりもする。人形だけでなく、マットな色彩の書き割りや看板も劇団で手作りされるし、手回しピアノの伴奏やせりふにも味がある。

クティッキオ家のプーピの舞台

パレルモの主な劇団には、マッシモ劇場向かいの小路にあるクティッキオ（Cuticchio）、カテドラル向かいの小路にあるアルジェント（Argento）、港に近いマンクーゾ（Mancuso）がある。

［上］**ラ・マルトラーナ**（55頁参照）
この教会の奉献者ジョルジョ（ギリシア名はゲオルギオス）は、シリアのアンティオキアに生まれ、北アフリカのイスラム政権に仕えた後、パレルモの宮廷に仕官し、王国の宰相にまで登りつめた。この教会の建つあたりは中世当時、港に面していたので、王国海軍を率いる宰相にはふさわしい立地であった。彼の船は東地中海にも出没した。テーベから養蚕と絹織物の女工を連れ帰った話も知られている。聖母にすがらねばならない理由は数えきれなかったのだろう。

［下］**マッシモ劇場の前のキオスク**
同劇場の建築家エルネスト・バジーレが同時期にデザインしたもの。

プレトリア広場（54・62頁参照）
正面は市庁舎。左の丸屋根は、ドメニコ会のサンタ・カテリーナ教会（内装がみごと）。右は、イエズス会と競合したテアティーニ会のサン・ジュゼッペ教会。

［右頁］**マッシモ劇場、正面の柱廊からの眺め**
古代神殿を模した玄関へのアプローチはすこぶるドラマティックである。大階段の上には、コリント式柱頭をもつ列柱が三角破風を支え、階段の左右には、ライオンに乗ったオペラ（Lirica）と悲劇（Tragedia）のブロンズ製擬人像が置かれている。
王族や歌手は左横の車寄せから直接劇場に入ることができた。その上には「ポンペイ風の間」がある。フォワイエの上にあるロイヤル・ボックスの金色の飾りは紙張り子細工（Cartapesta）である。

マフィア、シチリアの影

豊かな歴史をもつ風光明媚な観光地シチリアのイメージにマフィアの存在は暗い影を落としている。残念だが事実である。

農地管理から票集めまで

マフィアの起源について語るとき、まず話に出るのは農地管理人《ガベッロット》である。彼らは、都会に住む大土地貴族から農地を借り受け、それを又貸しする小作人に対して権力をふるっていた。長らく続いた封建制のもとで一種の無法地帯と化していたシチリアの農村部で彼らは独裁者のようであったのだ。そして一八六〇年、統一イタリア王国にシチリアが併合され、選挙制度が導入されると、選挙の票集めを請け負うことで地元の政治権力と癒着し始めた。新政府によって接収された土地の競売も威嚇や買収によってこのような新興勢力のものとなった。ちなみに、スペイン支配の長かったこの島では、貴族や聖職者のみならず、このような田舎の有力者も「ドン」という敬称を添えて呼ばれていた。

また新政府は、ガリバルディが民衆に約束していた土地の分配を行なわず、逆に、製粉やロバに対する新税を導入するなど、庶民の暮らしを圧迫した。しかもシチリアにはそれまでなかった徴兵制を導入し、多くの徴兵忌避者が検挙を逃れようと山賊化すると、軍隊を送り込んでこれを撲滅するという事件も起きた。こうして島民の間には新政府に対する失望と不信がつのっていき、北の政府に盾つく不法な存在がマフィアと呼ばれて尊敬されたりもしたのである。

マフィアの語源は「から威張り」を意味するアラビア語との説もあるが定かではない。彼らは自分たちのことを、男の体面と信義を重んずる名誉ある社会《オノラータ・ソチエタ》と称し、官憲の取り調べに対しては黙秘《オメルタ》を遵守することを不文律としている。

ノタルバルトロ侯爵暗殺事件

マフィアに暗殺された最初の大物は、清廉潔白で知られた名士ノタルバルトロ侯爵であった。彼はシチリア銀行の総裁となり、多くの私人による不審な金銭の授受と蓄財を発見したが、この情報を暴露する決心をした矢先、列車の中で刺し殺され、車外に投げ捨てられた。一八九三年のことである。事件は証拠不十分で迷宮入りかと思われたが、遺族が真相を追求し、六年後に黒幕議員が逮捕された。そして本土での裁判で有罪判決が下されたものの再々審の末、無罪放免となってしまう。マフィアと政治家の絆を明るみに出した事件であった。

ファシズム期と終戦期

第一次大戦後に台頭したファシズム政府はマフィア撲滅作戦を展開した。しかし第二次大戦の終盤、連合軍のシチリア上陸は、シチリア移民のアメリカ・マフィア、コーザ・ノストラの大ボス、ラッキー・ルチャーノがシチリア・マフィアと手引きしたものであった。

また、山賊サルヴァトーレ・ジュリアーノの事件も有名だ。この男は、終戦期に憲兵との殺傷沙汰から山賊に身を落としたものの、見た目もかっこ良く、金持ちから盗んで貧しい人々に分け与えるなど、義侠心に富んだ英雄と目された。また、イタリアからの独立や合衆国への加入を唱える運動に加わり、ゲリラ戦を戦った。しかし次第にマフィアと政治権力に利用され、左翼の運動に関わる友人たちを虐殺するはめになり、その挙げ句に始末されてしまう。逮捕された下手人は彼の配下であったが、裁判の席で「我々山賊と警察とマフィアは、父と子と精霊のように三位一体であった」と暴露したため獄中で毒殺された。この実話をもとにフランチェスコ・ロージ監督は『シシリーの黒い霧』（62年）という映画を撮り、さらにマリオ・プーゾが『ザ・シシリアン』という小説にし、マイケル・チミノがそれを映画化している。

マフィアとの闘いに殉職した二人の判事、ジョヴァンニ・ファルコーネ（左）とパオロ・ボルセッリーノ。ふたりはパレルモの海に近い旧市街カルサ地区で育った幼なじみであった。

ますます凶悪になるマフィア

そして東西冷戦期、キリスト教民主党が社会共産主義を逼塞させて国家権力を握ると、マフィアはこの党に癒着して公共事業や建築などの認可に関わる汚職で儲け、さらに儲けの大きい麻薬取引にも手を出し始めた。中東産のけしをシチリアでヘロインに加工してアメリカに送るという米伊マフィアの合意が一九五七年、パレルモのホテル・デ・パルメにおいて成立し、ピッツァ・コネクションと呼ばれるようになる。

儲けが大きくなるにつれ、マフィアのファミリー間抗争が激しさを増し、七〇年代の終盤には年に千人の死者を出した。

マフィアとの壮絶な闘い

このような状況の中、マフィアに対して遂に国防省憲兵隊《カラビニエーリ》の将軍ダッラ・キエーザ（テロ集団赤い旅団検挙による国民的英雄）が送り込まれた。だが一九八二年春に赴任してからわずか四ケ月後、市中を走行中銃弾の雨を浴びて絶命する。そして翌年、パレルモ地検内に結成された反マフィア特捜班《プール・アンチ・マフィア》のキンニーチ判事も爆殺された。だが特捜班の闘いは続いた。

そして転機がやって来た。同じく一九八三年、南米で逮捕された大ボスのトンマーゾ・ブシェッタが、特捜班のファルコーネ判事によって悔い改め、「名誉ある社会」の内情を暴露したのである。同判事はそれをもとに一九八六年から翌年にかけての大裁判で四百五十人以上ものマフィアを起訴し、世界中を騒然とさせた。

追い詰められたマフィアの報復によって殺された人の数は数えきれない。そしてついに一九九二年五月二十三日、アンチ・マフィアの権化ファルコーネ判事が、高速道路の陸橋に五百キロの爆薬をしかけられ、妻と護衛もろとも爆殺された。次いで七月には同僚のボルセッリーノ判事も実家の戸口で爆殺された。直後、これを重く見た国防省は七千人の兵をシチリアに送り込み、一年半にわたってマフィア根絶作戦（晩禱作戦と呼ばれた）をくりひろげた。翌年には凶暴な大ボス、トト・リーナが逮捕され、二〇〇六年春には、最後の大ボス、ベルナルド・プロヴェンツァーノがコルレオーネ村の羊飼い小屋にて逮捕された。一方、市民の間でもみかじめ料不払いや学校教育など、地道な反マフィア運動が行なわれている。

今日、空路パレルモに入る旅人は、荒々しい禿げ山を背にして青い海に臨む空港に降り立つ。その空港が、マフィアの脅しに決してひるまなかった二人の判事の名を冠し、ファルコーネ・ボルセッリーノ空港と呼ばれていることを忘れてはならない。

パレルモには賑々しい路地市場が三つある。駅に近いサンタ・アガタ門から北に延びる**バラロー**、マッシモ劇場裏手のカリーニ門から南に延びる**カーポ**、サン・ドメニコ教会南方の**ブッチリア**である。

CEFALÙ
チェファルー
ティレニア海を見守る大聖堂と小さな漁師町

［上］**カテドラル** Cattedrale
砦のような塔と銃眼をもつファサードはフェデリーコ2世の時代（13世紀前半）のもの。荘厳な扉口は15世紀のもの。

［左］**ディアナ神殿** Tempio di Diana
山頂におけるアルカイックな巨石造りの遺構。©AAST Cefalù

シチリア北岸のちょうど半ば、怪物の頭のような岩山の下に、要塞のような塔をもつ聖堂と慎ましい家並みがれんが色の甍《いらか》を並べている。小さな町に不似合いなほど立派な**司教座聖堂**《カテドラル》は、ノルマンの偉大なる王ルッジェーロ二世の創建によるものである。

　この君主によってシチリアは南イタリアを併合し、伯領から王国になったことは既に述べた（56頁）が、それは忍耐のいる事業であった。ルッジェーロ二世は南イタリアを領有する甥に巨額の借款を行ない、その引き換えに公位の継承権を得たのだが、いざ甥が没して公位を手にしたところ、現地の封臣と教皇の抵抗に遭い、戦争を行なわねばならなかった。そして一一三一年の夏、最後まで恭順の意を示さなかったアマルフィに遠征した。この海洋共和国は戦うまでもなく降伏したが、帰途艦隊はしけにあい、王は、

［右］**ある男の肖像**
マンドラリスカ男爵は、リパリ島の薬局で棚の扉に利用されていたこの絵を見つけた。人を嘲るような笑みに腹を立てた何者かが斬りつけたと思われる傷があったが修復された。1470年頃のアントネッロ作とされるが、誰の肖像かは不詳である。これを題材にした小説『ある船乗りの微笑』も書かれた（Vincenzo Consolo, Il *sorriso dell'ignoto marinaio* 未だ邦訳なし）。©Arch. Kalos-Ed. Ariete

［左］**まぐろ売りの混酒器**
前370年頃のリパリ島の絵付け師によるもの。まぐろの切身を買う男は貨幣を手にしている。
©Arch. Kalos-Ed. Ariete

［下］**中世の洗濯場** Lavatoio medievale

無事に陸に漂着できたらその地に聖堂を献じると神に誓った。これがチェフアルーの聖堂建設にまつわる言い伝えである。さっそく翌年に着工され、内壁には燦然たる金地モザイクが施された。王は死後ここに葬られることを願い、斑岩の棺まであつらえたのであるが、竣工せずに他界したため、パレルモに埋葬され、件の棺はフェデリーコ二世の両親のために使われた（いずれもパレルモの大聖堂にある）。金地モザイクで覆われているのは後陣のみだが、完成していたならばモンレアーレの聖堂のようであったことだろう。

その他の見どころは、まず**マンドラリスカ男爵の美術館**が挙げられる。十九世紀のこと、男爵は妻の故郷リパリで「まぐろ売りの混酒器《クラテール》」などを発掘したり、アントネッロ・ダ・メッシーナ（101頁参照）の「ある男の肖像」を見つけたりしたのであった。

また、西側の通り沿いには**中世の洗濯場**もある。ここに湧き出る清らかな地下水は、ヘルメスの息子ダフニスが相思相愛の妖精《ニンフ》エケナイスを裏切ったために目をつぶされて流した血の涙なのだという。彼の頭だとされるチェフアルーの岩山には、アルカイックな巨石造りの**ディアナ神殿**の遺構がある。山への登り口は目抜き通りの南寄りにあり、よく整備されている。

［上］
チェファルーの町の遠景
この町は、古代にはケファロディオンと呼ばれていた。頭を意味するギリシア語「ケファレ」が地名の語源で、ギリシア人はこの岩山をヘルメスの息子ダフニスの頭とみなした。前600年前後に活躍し、合唱詩で知られた詩人ステシコロスは、この地に近いヒメラの出身であり、ダフニスの物語のほか、神話をもとに多くの詩を詠んだ。

漁港 Porticello
旧市街の北西部にある。G.トルナトーレは名画『ニュー・シネマ・パラダイス』の一部をここで撮影した。

［左頁］
カテドラルの後陣 Presbiterio della Cattedrale
後陣の球面部分には金髪ながらも黒いひげと瞳の「万能の神キリスト」がヨハネの福音書を持っており、そこにはラテン語とギリシア語で「我はこの世の光なり。我に従う者は闇の中を歩くことなく、生の光をもつであろう」と書かれている。その下には、立って祈る（オランスの）聖母とビザンツ風の衣装をまとった四大天使（ミカエル、ガブリエル、ラファエル、ウリエル）、窓の左右には十二使徒が、クロスヴォールト部分には、多翼をもつ熾天使セラフィムと智天使ケルビムが表されている。

COLUMN 07

一つ眼の巨人族キュクロプス

ギリシア人はシチリアに一つ眼の巨人族キュクロプスが住んでいると思っていた。前五世紀の歴史家トゥキディデスも彼らをこの島最古の先住民としたし、前四世紀の牧歌詩人テオクリトスも詩に詠んだ。

その詩によれば、キュクロプス族の羊飼いポリュフェモスは、白い肌をもつ海の妖精ガラテイアを一目見るなり恋に落ちた。しかし彼女には既にアーキスという似合いの恋人がおり、彼は無視された。ある日、この二人がむつみあっているのを目にしたポリュフェモスは、嫉妬から逆上してアーキスに岩の塊を投げつけてしまう。岩の下から流れ出た血はやがて清流に変わった。この地下水脈が涸れた今も、エトナの裾にはアーチ（アーキスの伊名）という地名が残っている。

ホメロスの叙事詩『オデュッセイア』にもこの巨人は登場する。主人公のオデュッセウス（英名ユリシーズ）は、トロイア戦争に参加し、知略をめぐらせて木馬作戦を指揮し、ギリシア軍を勝利に導いた英雄である。そのトロイアからの帰途、ある浜に漂着した一行は留守の岩屋に入ってチーズを盗み食いしたあげく、好奇心からあるじの帰りを待ちうけた。戻ったポリュフェモスは大きな岩で戸口をふさぐと、侵入者を二人むさぼり食ってしまう。そして翌朝、放牧に出かける際には、用心深くも戸口を重い岩でふさぐのを忘れなかった。オデュッセウスは思案をめぐらせ、夜になると手持ちのぶどう酒を彼に勧めて酩酊させ、名前を聞かれると「ウーティス」と答えておいた。〈誰でもない〉というギリシア語の代名詞である。そして酔って寝入った巨人の一つ眼に、尖らせて焼いたオリーブの木（オデュッセウスの守護神アテナの霊木）を突き刺してねじ込んだ。悲鳴を聞いて駆けつけた仲間が、誰の仕業かと尋ねても彼は「ウーティス」と答えるだけなので、皆、それでは仕方がないと引き上げていった。

ポリュフェモスにぶどう酒をすすめるオデュッセウス（ピアッツァ・アルメリーナ郊外のローマ離宮にあるモザイク）

朝が来るとポリュフェモスは「ウーティス」らを逃さぬよう、洞窟の戸口で一頭一頭羊の背中をまさぐりながら送り出す。しかし一行は羊の腹にぶら下がるという方法でそれぞれ脱出に成功する。そして勝ち誇ったように啖呵をきった。

「お主の一つ眼をつぶせし者は、何を隠そうイタケの生まれ、ラエルテスが一子、城取りの誉れも高きオデュッセウスなり！」

それを聞いたポリュフェモスは無念の叫び声をあげた。そして、自らの父、海神ポセイドンに呼びかけ、オデュッセウスの航海を呪うようこいねがいつつ、岩の塊を海に向かって投げつけた。アーチ・トレッツァの浅瀬に黒く点々としている岩礁がそれらの岩だという。

シラクーサの考古学博物館には、小ぶりの象のような動物の骨（の石膏型）がある。更新世の末期まで島に生息していたもので、頭蓋骨の真ん中に穴がひとつある。鼻部分の穴なのだが、一つ眼の巨人の眼窩にも見える。このような骨を見つけた古代の船乗りが、あの島には一つ眼の巨人が住んでいると想像したのではあるまいか？　これは現地ガイド、ジョヴァンニ・トーロ氏の説である。

ETNA

エトナ
広大かつ深遠なる活火山

［上］**エトナの山頂** Mongibello, M. Etna

［下］**エトナ山麓の漁村アーチ・トレッツァ、キュクロプスの岩礁** Faraglioni dei Ciclopi, Aci Trezza
60〜50万年前の海底噴火による玄武岩の柱岩。

エトナは地中海域で最も高い活火山である。わが国の富士山より多少低いにすぎない（約三三四〇メートル）。平らに押しつぶされたような姿に見えるのは、複数の山頂と広大な裾野をもつからなのだ。中心の頂きはモンジベッロ（アラビア語のジャバル＝山が語源）と呼ばれている。六十万年前頃の噴火により海底から隆起したとのことだが、ギリシア人は、大地ガイアの産んだ巨人エンケラドス（轟音）あるいはテュフォン（台風）がシチリアの下にとじ込められているという話をあみ出した。この「巨人」は常にもがいており、十七世紀に暴れた時には大量の溶岩を吐き出してカターニアの街と港を埋め尽くした。

　しかしエトナがもたらすのは弊害だけではない。地表に出てから時を経た火山灰や火山礫は豊かなミネラルを含む耕土と化し、南東部の裾野に緑濃いオレンジ畑やレモン畑を広がらせ、西側には香ばしい胡桃や名高いブロンテのピスタキオを実らせるのだ。

[右頁] ランダッツォの羊飼いとエトナ

[上・下左] 南方山麓より見た雪を戴くエトナ

[下右] ブロンテより見たエトナ。噴煙にまみれている。

CATANIA

カターニア

溶岩でできたシチリア東部の大都市

エトナ山を北に仰ぐこの町は、人口三十万強、島内第二の大都市である。壮麗な建物に囲まれたドゥオモ広場をはじめ、旧市街の大半は十七世紀のエトナ山大噴火と大地震の後、周到な都市再興計画のもと、黒い溶岩と白い石灰岩をうまく組み合わせたバロック様式で再建されたものである。だが、そもそもはギリシア人が入植した都市であり、街並みに隠れるようにしてローマ時代の劇場や浴場が残っていたり、円形闘技場が溶岩に埋もれていたりする。また、中世に建てられたウルシーノ城はアラゴン王家の宮廷であった。

円形闘技場 Anfiteatro　ローマ時代帝政期の遺構。

ウルシーノ城 Castello Ursino
当初、城の目の前は海であった。

［上・中左］**クロチーフェリ通り** Via dei Crociferi
荘厳なバロック建築が並ぶ。上写真左はサン・ベネデット教会、右はイエズス会のコレージョ（今は美術学校。中庭も美しい）。斜向いにはサン・ジュリアーノ教会が建つ。

［下］**ベッリーニ劇場** Teatro Massimo Bellini
柿おとしは1890年、ベッリーニの「ノルマ」であった。

［右上・右下］
ドゥオモ広場
広場はすべて1693年の震災後、G.B. ヴァッカリーニらによって整備された。その中心には象のオベリスク（イシス信仰に関わるエジプト製。火山岩でつくられたローマ時代の象に支えられている＝市の紋章）が置かれている。カテドラルはノルマン時代に市の守護聖女アガタ（3世紀の殉教者。後陣右手に礼拝堂）に献じられたが、震災の後バロック様式で再建された。ベッリーニの墓碑は堂内手前右手に。アラゴン王家の墓所は堂内右手奥に。地下にはローマ時代の浴場跡が見られる。

［左下］
カターニア大学の中庭
やはりG.B.ヴァッカリーニによる建築。中庭も溶岩と石灰岩でデザインされている。大学は15世紀半ば、アラゴン家のアルフォンソ王によって創設された。

旧市街の見どころ

❶**ビスカリ宮** Palazzo Biscari
1693 年の大震災の後、スペイン時代の市壁の上に建設された由緒ある大貴族の屋敷。

❷**ウルシーノ城** Castello Ursino
フェデリーコ 2 世による築城。2mもの壁厚をもつ。当初は海に面していたが、1669 年の噴火により周囲が溶岩で埋まってしまった。今は市立博物館。

❸**ドゥオモ広場** Piazza del Duomo

❹**クロチーフェリ通り** Via dei Crociferi

❺**ベッリーニ劇場** Teatro Massimo Bellini

❻**サン・ニコロ教会** Chiesa di S. Nicolò
巨大なファサードは未完。

❼**大学広場** Piazza Università
18 世紀の壮麗な建物に囲まれている。

❽**ローマ劇場とオデオン** Teatro romano e Odeon
ヴェルガの生家はその南 Via S. Anna に。
ベッリーニの生家はその東 P.za S.Francesco に。

❾**円形闘技場** Anfiteatro

❿**サン・ジュリアーノ通り** Via Antonio di Sangiuliano
海に向かう歴史的な坂道。

⓫**エトネア通り** Via Etnea　目抜き通り。

COLUMN 08

カターニアが生んだ不滅の音楽家と作家

Vincenzo Bellini
©CASA RICORDI

ベッリーニ（一八〇一〜三五年）

聖堂奏者の父と聖歌作曲家の祖父をもつベッリーニは幼い頃より音楽家としての薫陶を受けていた。貴族のサロンに招かれて早熟の才を披露することも多々あり、やがて某貴族の執り成しによりナポリ王立音楽院の奨学生となることができた。

ナポレオンの敗退後、ブルボン王家が復古したナポリはロマン主義の空気に満ち、多くの音楽家を惹き付けていた。こうして彼はドニゼッティやロッシーニとの出会いを果たし、彼らの音楽に多大な影響を受けることになった。そして二十代半ばにしてサン・カルロ劇場から作曲の仕事を受け、その成功に次いでスカラ座との契約が成立した。

そのため彼はミラノに移り住み、そこで台本作家フェリーチェ・ロマーニと出会った。彼とのコンビにより、中世シチリアを舞台とした『海賊』、ロミオとジュリエットを題材にした『カプレーティとモンテッキ』、スイスの村娘の話『夢遊病の女』などを次々に成功させる。するとスカラ座は一八三一年の開幕作品を依頼した。弱冠三十歳の彼にとってそれは大変な名誉であった。こうして『ノルマ』が生まれる。古代ガリアを舞台に、支配者のローマ総督に純潔を捧げて飽きられたドルイッド教の巫女が嫉妬と屈辱に苦しんで果てるドラマティックな作品で、高度な歌唱法が要求される。マリア・カラスの十八番としても知られた傑作である（ちなみにシチリア人はこの作品にあやかり、塩リコッタをふりかけた茄子入りトマトソースのパスタ料理を「ノルマ風」と名づけた）。

その後パリに移り、当時流行りの英国小説をもとにして『清教徒』をつくったが、初演の年に急な病を得て早逝した。今日カターニアには、劇場や広場、カテドラルに彼のモニュメントがあり、旧市街の生家は博物館となっている。

ヴェルガ（一八四〇〜一九二二年）

ヴェルガはカターニアの生まれであり、旧市街には生家もあるが、父は近在の村ヴィッツィーニの地主であった。この田舎はまさにヴェルガの小説の世界そのものである。とはいえ、彼は二十五歳のとき、統一王国の首都となったフィレンツェに出て、さらにはミラノに移り、都会生活を謳歌した。そしてエミール・ゾラなど、フランスの自然主義文学を強く意識するようになっていった。こうして郷里の田舎で見知った農民や羊飼いや鉱夫の赤裸々な暮らしを題材とするようになったのである。

一八八〇年代に書かれた短篇『カヴァレリア・ルスティカーナ』は不義密通や私的制裁を淡々と描いたもので、数年のうちに戯曲となり、さらにマスカーニによって不朽のオペラとなった。また、運命に見放されて落ちぶれていく人々を主題とする長篇にも取り組んだ。やるせない漁民の話『マラヴォリア家の人々』は、後にヴィスコンティが共産党に依頼されて撮った映画『揺れる大地』の原作ともなった。同様に『ドン・ジェズアルド親方』も重要な長篇であるが、未だ邦訳はない。このような作風は、同時期に活躍した同郷の文豪ルイジ・カプアーナのものとともに真実主義（ヴェリズモ）と称されている。

Giovanni Verga ©Arch. I.G. De Agostini

ヴァル・ディ・ノートのバロック地帯

アラブに支配されていた時代、シチリアは三つの領域（＝ヴァル、ヴァッロ）に分割統治されていた。南東部のノート、西部のマザーラ、北東部のデモーネの三つである。そのうちヴァル・ディ・ノート（Val di Noto）の市街地はおしなべてバロック様式の建築による街並みが美しく、二〇〇二年、ユネスコの世界文化遺産に登録された。

まずは、この地帯の特異な歴史をふりかえってみよう。中世後期、ここには二つの独立君主国のようなものが成立した。その一つはモディカ伯領（今日のラグーサ県とシラクーサ県にまたがる所領）で、一二九六年にキアラモンテ家の封土となった。この一族は王族をしのぐほどの権勢をふるったが、十四世紀末、アラゴン本国に敵対して滅ぶに至り、同伯領はカタロニア貴族のカブレーラ家に下賜された。そして十五世紀半ば、農民が一揆を起こしたことから永代小作制が普及し始めた。

もう一つは、一三〇二年、晩禱戦争（62頁）の講和によりアラゴン家がアンジュー家の姫を娶ることになり、その王妃に与えられたカメラ・レジナーレ（王妃領、今のシラクーサ県とカターニア県の一部）である。これはシラクーサを首府とし、十六世紀半ばまで代々の王妃によって受け継がれたが、ここでもやはり永代小作制が普及した。

シチリアの農地の大半は小作人との短期契約に基づく粗放農法による小麦栽培が主体であったので、地味はやせる一方であったが、永代小作制が普及したヴァル・ディ・ノートでは農民に勤労意欲がわき、投資の必要な酪農や輪作、果樹栽培などが行なわれるようになった。

また大国スペインの支配下では多くの兵糧が必要とされたこともあり、封臣らは地元の貴族に認可を与えて積極的に大農場《マッセリーア》をつくらせた。それらは広い中庭を中心とし、砦のように自衛し、まるで集落のようであった。例えば、タヴィアーニ兄弟の『カオス・シチリア物語』（116頁参照）という映画の中の「甕《かめ》」という挿話はこのような農場を舞台としている。

ともあれ、今日でもこの一帯は豊かであり、田園風景も美しい。ムーリ・ア・セッコと呼ばれるモルタルで固めない石積み塀で美しく仕切られた耕地にはアーモンド、くるみ、カルッボ、オリーヴなどの木々が青々と繁り、牛馬がのどかに下草を食んでいる。

一六九三年の大地震

さて、このヴァル・ディ・ノートは一六九三年一月、シチリア史上最大級の大地震に襲われた。計数万の死者を出し、ほとんどの都市が瓦解したのであるが、いずれもみごとな復興を果たした。これは農村部の経済的な基盤がしっかりしていたことと無関係ではないと思われる。

ともあれ、地震があまりにも強烈だったので、過去の建築物はほとんど失われてしまい、ローマのバロック建築に倣って再興されることになった。再建の総指揮は、ウセダ総督によって任じられたカマストラ公ジュゼッペ・ランツァがとった。こうしてカターニアは広い広場と直線道路をもつ近代的な都市となった。カルタジローネのように古い街並みを温存して再建されたものもあるが、ノートは瓦解した町を見限って、別の土地に一から新都市が建設されたし、グランミケーレは六角形の放射状の都市となった。ラグーサは、旧貴族が旧市街イブラの再建にこだわり、新興貴族（農業で財をなした人々）は西の高台に碁盤の目状の新しい市街地を建設し、互いの街の美化を競うことになったのである。

RAGUSA

ラグーサ

バロック建築で飾られた島の中の島

この町は山の中に浮かぶひょうたん島のように、深い渓谷に囲まれた東西二つの山塊よりなっている。ファシズム期に整備された国鉄駅やバスターミナルはその渓谷の手前南西部の丘にあり、橋でつながれている。

西側高台の市街は一六九三年の震災後に建設されたもので、洗礼者ヨハネを祀るカテドラルを中心に碁盤の目状に区画されている。坂をなす目抜き通り（コルソ・イタリア）を東へと下っていくと、外れにノルマン時代にさかのぼる教会サンタ・マリア・デッレ・スカーレがあり、前のテラスからは旧市街イブラを見渡すことができる。

ラグーサ・イブラ Ragusa Ibla
サンタ・マリア・デッレ・スカーレ教会前のテラスからの景観。高台には20世紀初頭にビザンツ時代の城砦を壊して建てられた兵舎がそびえている（今はラグーサ大学農学部の校舎）。その左手には、サン・ジョルジョ聖堂のクーポラが見える。

［上］
南方から見たイブラの遠景

［中左］
西側から見たイブラの全景

［中右］
新市街のベルティーニ館窓枠のかなめ石の彫刻
Palazzo Bertini, Corso Italia

［下右］
コセンティーニ館、バルコニーのもち送りの彫刻
Balcone del Palazzo Cosentini, Ibla

［下左］
新市街のサン・ジョヴァンニ聖堂 Cattedrale di S. Giovanni
斜面に建つため、聖堂前の広場はテラスとなっている。

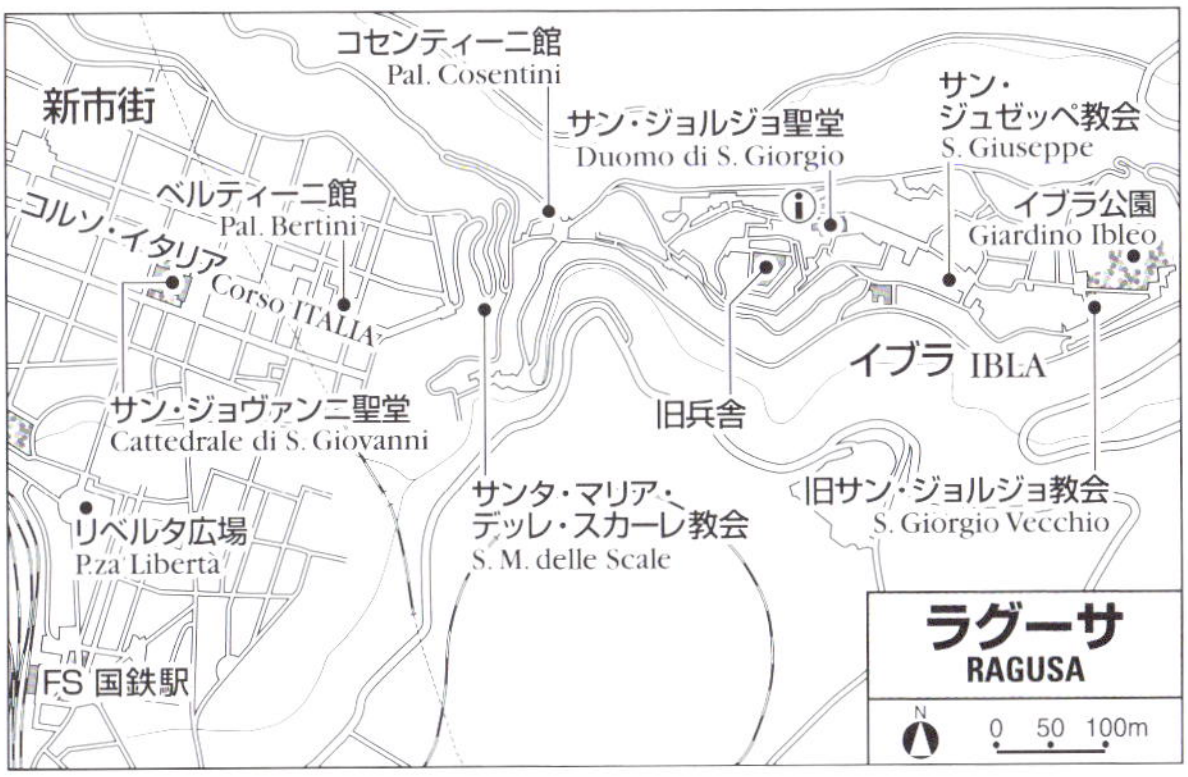

サン・ジョルジョ聖堂
Duomo di S. Giorgio
1693年の震災後、東にあった聖堂が移築再建されたもの。地元の建築家ロザリオ・ガリアルディの代表作（1739年）で、そびえ立つファサードに鐘楼を組み込み、クーポラも見えるよう広場に対してやや斜めに建てられている。

イブラへはつづら折りの車道もあるが、二百四十二段の階段を下りていくこともできる。蜂蜜色の**サン・ジョルジョ聖堂**がそびえる舞台のような広場を中心として、バロック様式の教会や貴族の館が点々としている。

ラグーサを訪れるとごみ一つない街路の美しさに気付かされる。住民の美意識が強いのだろう。

また、ラグーサは南イタリアで最も経済的に豊かな県でもある。中世以来の集約農法に加え、近年では温室栽培も普及している。農業だけではない。第二次大戦後には海底油田が見つかったし、石灰岩や黒いタール石《ピエトラ・ペーチエ》も採れる。アスファルトやセメントの生産や化学工業も行なわれている。近年では観光産業にも力を入れている。

ヴァル・ディ・ノートの田園風景

[右頁]オリーヴ畑での牧羊。

[上]ムーリ・ア・セッコで仕切られた農地。

[中]牛飼いと牛の群れ。

[下]緑濃いカルッボの木（イナゴ豆。幅広い用途がある）の下にいるのは、ラグサーノと呼ばれる高品質のチーズをつくるためのモディカ牛。

ヴァル・ディ・ノートのバロック都市いろいろ

この地帯には珠玉のバロック都市がいくつもあるが、特徴的なものを選んでみた。

　まずはやはり**モディカ**であろう。ファシズム期に県庁がラグーサに移されるまで、旧モディカ伯領の首府であった。町は四つの丘に囲まれた渓谷の斜面にへばりつくように発達している。北から南へと流れていた川床は二十世紀初頭に暗渠《あんきょ》化されてコルソ・ウンベルトとなっている。この目抜き通りから見上げるようにして、サン・ジョルジョやサン・ピエトロなどの聖堂がドラマティックな前階段の上にそびえている。また、長らくスペイン系領主をもっていたこともあり、いち早くアステカ由来のカカオを使ったチョコレート作りの町としても知られている。

[上] **モディカ、サン・ピエトロ聖堂**
S. Pietro, Modica

[下] **モディカ、サン・ジョルジョ聖堂**
S. Giorgio, Modica
ロザリオ・ガリアルディの建築。

シクリ、ベネヴェンターノ館
Palazzo Beneventano, Scicli

　そこからさらに国道を南にそれて平坦な田園地帯の道を十数キロ走ると、石灰岩の岩肌が露出する**シクリ**の丘が現れる。その中腹にはサン・マッテーオ教会の廃墟が虚ろな口をあけている。街歩きの中心はふもとのモダンで広々としたイタリア広場である。ここには母教会《キエーザ・マードレ》（主聖堂）が建ち、南方には壮麗なサン・バルトロメオ教会がそびえ、逆にナツィオナーレ通りを北上すれば、蠱惑的な彫刻で飾られたベネヴェンターノ館に至る。これはシクリを代表するバロック建築である。

シクリ、サン・マッテーオの丘 Colle di S. Matteo, Scicli

そしてラグーサから西方の**コミソ**への道では、石積み塀《ムーリ・ア・セッコ》の風景が楽しめる。市庁舎の建つディアナの泉の広場からは古代ローマ浴場のモザイク床が出土している（市立図書館に収蔵）。最寄りのエルベ広場には母教会であるサンタ・マリア・デッレ・ステッレの高々としたファサードがそびえ、旧魚市場の柱廊も美しい。

コミソ、旧魚市場
Ex-mercato ittico, Comiso

もう一つは、シラクーサ県下の**パラッツォーロ・アクレイデ**である。県都より四十四キロほど内陸部の高地、アナポ川の上流にシラクーサの副次都市として前七世紀に建設されたアクライの遺跡の北東に発達した町である。ここでもやはり新旧勢力の反目と対抗があった。低地のサン・パオロ聖堂を中心とする旧貴族と農民の一派と、高台にそびえるサン・セバスティアーノ聖堂を中心とした新興富裕層の一派である。また、市北のアヌンツィアータ教会は、今はシラクーサのベッローモ美術館にあるアントネッロ・ダ・メッシーナ（101頁）の「受胎告知」が見つかった聖堂である。

コミソ、サンタ・マリア・デッレ・ステッレ教会
S. Maria delle Stelle, Comiso

［上］**パラッツォーロ・アクレイデ、サン・セバスティアーノ聖堂**
S. Sebastiano, Palazzolo Acreide
この町では宗教祭事（聖パウロ祭と聖セバスティアヌス祭）も熱狂的に競いあう。

［右］**パラッツォーロ・アクレイデ、アヌンツィアータ教会**
Ss. Annunziata, Palazzolo Acreide

NOTO
ノート
都市計画されたバロックの町並み

［上］**ドゥオモ、サン・ニコロ聖堂**
Chiesa madre San Nicolò
建築家は不詳。

［下2点］**ニコラーチ館のバルコニー**
Palazzo Nicolaci di Villadorata
この館は裕福な貴族、ジャコモ・ニコラーチ男爵によって建てられた。セイレンや馬、スフィンクスなど奇怪な彫刻が支えるバルコニーで名高いが、館内のサロンもフレスコ画の天井が豪華。今は市立図書館となっている。

この町は、一六九三年の震災後、瓦解した旧い町を捨て、海寄りの台地に新たに建設された。南向きにゆるく傾斜した町を目抜き通り（コルソ・ヴィットリオ・エマヌエレ）が横断し、それに沿って重要な建築物が並んでいる。中心部にそびえる**ドゥオモ**（**サン・ニコロ聖堂**）は、幅広のファサードと、三つのゆったりとした踊り場のある大階段を備え、壮麗な前廊《ポルティコ》をもつ**市庁舎**と向き合っている。これほど劇的《シエーノグラフィック》な空間はめったにあるものではない。ドゥオモのクーポラと天井は一九九六年春に崩壊した（おそらくその六年前の地震が原因）が、十一年後に修復を終えた。

一本北側のカヴール通りには貴族の館が並んでいる。**ニコラーチ館**のバルコニーの彫刻も奇抜で凝っている。また、西寄りの**サン・ドメニコ教会**とボッロミーニ風の**サン・カルロ教会**はロザリオ・ガリアルディの建築である。

サン・ドメニコ教会 S.Domenico
ロザリオ・ガリアルディ（1698シラクーサ生〜1762ノート没）は、ラグーサやモディカの聖堂では高々としたファサードの3層目に鐘楼を組み込んだが、ノートではそれを試みなかった。

CALTAGIRONE

カルタジローネ

陶器に彩られた町

サン・フランチェスコ橋 Ponte di S. Francesco
丘と丘をつなぐため、17世紀前半に建設された橋。その南側には13世紀の創建だが震災後に再建された聖フランチェスコ教会がある。

旧市街はカターニア県の内陸部、標高六百メートルの高地を覆うように広がっている。この町もやはり一六九三年の震災後にバロック様式で再建されたが、街並みは中世アラブの重要な砦であった時代のまま残されている。古くから陶器の名産地であり、店や工房が軒を並べているうえ、街の各所に色鮮やかなマジョルカ《マヨリカ》焼きがあしらわれているのが美しい。

見どころはすべて目抜き通り（ローマ通り）に沿っている。まず陶器博物館と**市民公園**、さらに北上すると、欄干のタイルが美しい**サン・フランチェスコ橋**があり、ドゥオモや市庁舎の建つ市心に出る。広場の北隅から見上げる**サンタ・マリア・デル・モンテの大階段**は圧巻である。高さは五十メートル、百四十二段の蹴上げすべてにきれいな絵タイルが貼られている。

［左下・右頁］
サンタ・マリア・デル・モンテの大階段
Scala di S. Maria del Monte
階段の整備装飾が行なわれたのは1953年である。7月24・25日の聖ジャコモ祭には4000個の灯明によってドラマティックに演出される。

市民公園の楽団用あずまや
Palchetto, Giardino pubblico

MESSINA
メッシーナ
イタリア半島に臨む海峡の町

［上］
メッシーナの港
奥に対岸のカラブリアが見える。

［中］
海神ネプトゥヌスの噴水の一部、怪物スキュラ　16世紀半ば、メッシーナに招かれた彫刻家モントルソリの作。

［下］
アントネッロ・ダ・メッシーナによる「聖グレゴリオ修道院のための多翼祭壇画」（部分）

〈中・下ともメッシーナ州立美術館蔵〉

古代にこの海峡は、下半身が怪物の乙女スキュラと渦潮怪物カリュブデスが住むと考えられたほど航海の難所であったが、前八世紀、ギリシア人がここに入植して港町を建設した。そして中世から近世にかけてはあらゆる西欧の船が寄港する国際都市であった。

だが、十八世紀末と二十世紀初頭の二度の地震により旧い建物の大半が失われてしまった。ゆえに観光地としての魅力は乏しい。ノルマン様式で再建されたドゥオモの近くに小さなオリジナルのノルマン様式の聖堂（サンティッシマ・アヌンツィアータ・デイ・カタラーニ）が、周囲の地面に埋もれるようにして残っているのは貴重である。震災で失われたモニュメントの遺物や美術品は、この町出身のルネッサンス画家アントネッロ・ダ・メッシーナの祭壇画や、鬼才カラヴァッジョがこの町で描いた晩年の大作二点とともに、市北の**州立美術館**に収蔵されている。

今日、県庁舎前では、スキュラとカリュブデスを縛《いまし》めた海神ネプトゥヌス（十六世紀の噴水装置の複製）が港を見下ろし、埠頭の円柱の上では「手紙の聖母」の像が市民と港を守っている。その基部に記された一節〈VOS ET IPSAM CIVITATEM BENEDICIMUS＝汝らと汝らの市を祝福す〉は、一世紀当時、メッシーナ市民が聖母に宛てた手紙の返書とされるものの結びの句だという。

Foto:Archivio Museo Reg. di Messina

COLUMN 11

この絵を見るためにシチリアへ行きたい

古代遺跡や聖堂建築で知られるシチリアだが、このような絵画も見のがせない。

アントネッロ・ダ・メッシーナ

一四三〇年頃、メッシーナの大理石職人の家に生まれたこの画家は、アラゴン家の征服したナポリに出てコラントニオの工房で修行しながら、フランドル絵画の細密な筆致や写実を身につけた。その後おそらくローマでピエロ・デッラ・フランチェスカやフラ・アンジェリコに接し、遠近法を学んだものと思われる。こうして右頁の祭壇画や、シラクーサのベッローモ美術館所蔵の「受胎告知」、チェファルーにある「ある男の肖像」(77頁)などが生まれた。

受胎告知の聖母 Antonello da Messina

一四七五年頃にはヴェネツィアに腰を落ち着け、ベッリーニ(ヴェネツィア派を確立した画家)と互いに影響を及ぼし合ったことが指摘されている。人物表現を究め、肖像画家としても名を馳せた。パレルモの州立美術館にある「受胎告知の聖母」は静謐な緊張感のある絵だが、天使の存在を光のみで表現するとは、合理的な精神に基づくルネッサンス絵画の中でもきわめて大胆な試みである(一四七九年、郷里にて没)。

カラヴァッジョ(一五七一〜一六一〇年)

北イタリアに生まれ、迫真の写実力と明暗法によりローマで時代の寵児となったこの鬼才は、一六〇六年に殺人事件をおこして追われる身となった。ナポリで大歓迎を受けて数点の作品を残すと、ここで出会った聖ヨハネ騎士団長のとりなしでマルタに渡る。ここで大作「洗礼者ヨハネの斬首」などを描いたが、決闘騒ぎを起こして投獄され、今度はシチリアに逃れた。

シチリアでは一六〇九年のうちに四つの大作を描く。まずはシラクーサ市議会から市の守護聖女ルチアの聖堂に掲げるための祭壇画「聖女《サンタ》ルチアの埋葬」(現在はベッローモ美術館蔵)を依頼された。

メッシーナでは、ジェノヴァ人豪商ラッザーロのために「ラザロの蘇生」を描いた。剣で脅しながらモデルに死体を持たせたという話が伝わっている。そしてカプチン修道会のためには慈愛に満ちた「羊飼いの礼拝」を描いた。他界する一年前のことである。その後パレルモで描いた「降誕」は盗難にあい失われてしまった。ともあれこの画家の、情緒に訴えるドラマティックな画風は人々を魅了し、各地で多くの追随者を生むことになった。

羊飼いの礼拝 Caravaggio

Foto:Archivio A.P.T. Siracusa

聖女ルチアの埋葬 Caravaggio

TINDARI
ティンダリ
聖地となった古代都市

［上］
マリネッロの砂州
Marinello, Tindari

［下左］
ギリシア劇場 Teatro Greco
直径63m。前3世紀の建設。

［下右］
バシリカ Basilica

メッシーナの西方約六十キロメートル、紺碧のティレニア海に臨む断崖の上の遺跡である。前四世紀初頭、シラクーサ軍の退役傭兵のために建設された植民市で、都市名は、戦士の守護神ディオスクロイ（＝カストルとポルクス）の養父テュンダレオスにあやかった。大きな切り石による城壁に囲われた市街は、矩形の格子状に区画されている（ミレトスのヒッポダモス式都市計画という）。幅八メートルの目抜き通りに沿って**ギリシア劇場**や**ローマ浴場**、帝政後期の**バシリカ**（**公会堂**）などが残っている。

かつてのアクロポリス（丘上の聖域）には「**黒い聖母**《マドンナ・ネーラ》」を祀る聖堂が建ち、多くの参拝客を集めている。その杉材の聖像は九世紀に漁師が見つけた箱の中にあったという。崖の下には半島のような**マリネッロの砂州**が広がり、眼の前にはエオリエ諸島が浮かんでいる。（パッティ市から午前に数本バスが出ている。）

MORGANTINA

モルガンティーナ
ギリシア化した先住民の都市

この遺跡へは、内陸部エンナ県下の寂しい林道を分け入っていく。前十世紀頃、モルゲス王に率いられて半島部から渡来したイタリキ族によって建設されたと伝えられている。前五世紀、まず南方のゲラに征服され、蜂起したシクリ族によって破壊されてからシラクーサの傘下に入ると、退役傭兵が入植するなど、人口が増えた。

アゴラ（市民広場）は列柱廊や穀物倉庫などの公共建築物に囲まれている。中央には方形の市場跡と、段差を利用して台形に整備された**民会場**（エックレシアステリオン）、地下神（豊穣神デメテル母娘）の聖所があり、西側斜面には**劇場**がある（前四世紀の造成）。周辺部には**邸宅跡**が並び、中には前三世紀頃にさかのぼる美しいモザイク床も発掘されている。出土品は最寄りの町アイドーネの博物館に収蔵されている。（残念ながら遺跡への公共交通機関はない。）

［上］**アゴラの民会場** Agorà, Ekklesiasterion　［中］**劇場** Teatro
［下］**ヘレニズム期の家屋のモザイク床**

TRAPANI

トラーパニ

西部シチリアの観光拠点となる港町

［上］**トラーパニの北岸**
Via Libertà

［左］**ミステーリ**（復活祭聖金曜日祭列の聖劇）
Processione dei Misteri del Venerdi Santo
復活祭の聖劇はたいていの都市で行なわれるが、トラーパニのものは有名。

シチリアの果てまで来たなと感じさせられる町である。細長く海に突き出たこの地を古代ギリシア人はドレパノン（鎌）と呼んだ。年に数回サハラから吹きつける熱風シロッコがまず上陸する地点でもある。製塩も有名だ。

旧市街の目抜き通り（コルソ・ヴィットリオ・エマヌエレ）はバロック建築の並ぶ歩行者天国である。北岸には新鮮な

［右上］**旧市街の目抜き通り** Corso Vittorio Emanuele

［右下］**ファヴィニャーナ島のマッタンツァ**
Mattanza, Favignana (Isole Egadi)
アラブ伝統の豪快なまぐろの囲い込み漁（5～6月のみ）が今もなお行なわれている。

［上4点］**露天市場** Pescheria

［左2点］
レヴァンツォ島に残る石器時代の洞窟壁画
Graffiti preistorici, Levanzo (Isole Egadi)
洞窟 Grotta del Genovese の見学は要予約。
（Tel.0923-924032）
Foto:Misteri/Mattanza/Graffiti - Archivio A.P.T.Trapani

魚介や青果を商う露天市場がある。南岸からはエガディ諸島行きの水中翼船《アリスカーフォ》、パンテッレリア島やチュニス行きの船が出ている。

　また、国鉄駅の北側には、エリチェや他の都市へのバスが発着している。数は少ないが、セジェスタやセリヌンテなどトラーパニ県下の遺跡へもこの県都を足場にするのが便利だろう。

　またこの町ではぜひ魚介ソースのクスクスを試してみたい。アフリカに近い港町トラーパニの名物である。

ERICE

エリチェ

神秘の天界にタイムスリップ

標高七百五十メートルの断崖絶壁、雲をつくサン・ジュリアーノ山の上にあり、下界をはるかに見下ろす空中都市である。西端にはカタロニア・ゴシック様式の**母教会**《キエーザ・マトリーチエ》（主聖堂）が建ち、東端の断崖絶壁の上には豊穣の女神の神域跡に中世の**ヴィーナス城**《カステッロ・ディ・ヴエネレ》がそびえている。旧市街の石畳も美しい。

ヘラクレスの来訪伝説やローマ建国の祖アイネイアスの父アンキセスの埋葬など、伝説には事欠かない地であるが、ここに移り住んだとされる小アジア由来のエリミ族と誼《よしみ》を結んでいたカルタゴのフェニキア人が、ここに豊穣の女神アスタルテを祀っていたのは伝説ではない。遺跡の石材にもフェニキア文字が認められている。神殿の巫女が春をひさいでいたことも有名であり、征服者ローマはそれをウェヌスの信仰に置き換えて守り広めた。（トラーパニからの交通は市バスの他、ロープウェーも再建された。）

絶壁の上に建つヴィーナス城 Castello di Venere
伝説によれば、神殿にはたくさんの白い鳩が飼われており、毎年夏になると1羽の赤い鳩（女神の化身）に率いられてアフリカの神域ケフに赴き、9日後に戻ったという。霧が湧いていなければ、絶壁の下に光る塩田を見ることができる。

［左上］石畳。通りによって石組みは様々。
［右下］**母教会** Chiesa Matrice　14世紀の建設。

COLUMN 12

踊るサテュロス

太陽神ヘリオスに愛されるシチリアは芳醇なぶどう酒の産地である。そもそもぶどう酒は東方の起源と考えられており、旧約聖書の中にもノアの泥酔が語られていたりする。一般にはギリシア人やフェニキア人によって西地中海世界に伝えられたとされているが、トロイア陥落に際し、小アジアを後にしてシチリア西部に定住したエリミ族がこの地に伝えたという説もある。

ともあれギリシア世界で酒神ディオニュソス（英語名バッカス）は、酒造の秘訣を伝えた神としてひじょうに崇められた。なおこの酒神には、ともにエジプトやインド、アジアを経巡った従者がいた。彼らは半神の妖精で「テュルソス」という松ぼっくりと木蔦とりぼんのついた杖と豹の毛皮を振り回しながら酩酊してわめいたり踊ったりした。シレノスとサテュロス（ローマ神話ではファウヌス）はともに驢馬のような尻尾と耳とひづめをもつ愉快で好色な森の精だが、シレノスの方は年長で太鼓腹の知恵者とみなされていた。マイナスはアル中の酒乱女でひじょうに凶暴であった。

生肉を食らうような秘儀もあったようだが、いわゆるバッカナーレ（バッカスの宴）は泥酔と乱痴気騒ぎのことであり、ぶどう酒造りに関わる祭りは陽気な歌や踊りで祝われていた。より神妙に奉納された演劇祭では、悲劇とあわせて軽妙なサテュロス劇が上演され、酒神の従者たちがオルケストラで踊りながら合唱した。

前置きが長くなったが、一九九八年三月、シチリアとテュニジアの間の海底からマザーラ・デル・ヴァッロの漁船が偶然に引き上げたのは、このようなサテュロスの青銅《ブロンズ》像であった。波うつ髪が風になびいていたため当初は風神アイオロスかとも騒がれたが、尖った耳と背中にあいた尻尾の穴からサテュロスと断定された。

踊るサテュロス Satiro danzante
Foto:Yuji Ono

ローマで修復され、二〇〇三年から公開されている。二〇〇五年にはわが国にも貸し出されたので実物をご覧になった方もいることであろう。軸足が失われているが、推定の高さは約二・四五メートル、重さは百八キログラム（先に見つかっていた左脚を含む）、頭を後ろにのけぞらせ、左足を後ろに跳ね上げている。広げた両腕は失われているが、片方は引き上げたとたん海底に落下したのだという。方解石《アラバスター》のはまった切れ長の目、丸いあごに小さな口、狭い額は東洋の仏像彫刻を思わせる。青銅の組成、厚み、鋳造と仕上げ方法などが調査され、その結果、ポーズや足の指の鑞付け法からいくと前四世紀半ばのギリシア製だという説も出たし、ローマ時代の模刻だという説も出た。意見は一致していない。だが、ローマ世界に模刻がまったくないところをみると、ギリシア時代のオリジナルの可能性は捨てきれないだろう。誰がどこからどこに運ぼうとした時に沈んだものだろうか。ディオニュソス信仰に関わる群像だとすれば仲間がいたのではないだろうか。想像は尽きない（マザーラ・デル・ヴァッロ旧市街のサテュロス博物館蔵）。

シチリアにおけるカルタゴのフェニキア人

フェニキア人の植民市カルタゴ（現チュニス）はシチリアの西端から海を隔ててわずか百四十キロメートルのところにあった。そして、前八～前三世紀半ばまでシチリア北西部の沿岸地帯を支配し、シラクーサを中心とするギリシア陣営と敵対した。

まずはその起源にさかのぼってみよう。彼らはセム語（アラビア語やヘブライ語などが属す）族の一派であり、ギリシア人からフォイニクス（φοινιξ）と呼ばれていた。中東の現レバノン沿岸地帯フェニキア（ギリシア語ではフォイニケ）のテュロス、シドン、ビュブロスといった都市を拠点にそれぞれ海上交易と工芸によって生計をたてていた。例えば、レバノン杉からとれる香料（ミイラ作りに必要）をエジプトに売り、パピルスを輸入してギリシアに転売した。工芸品には、悪鬼貝《あくき》からとれる染料で赤紫色《ポルポラ》に染めた布やガラス製品があった。アルファベートのもとになる二十二文字をギリシアに伝えたのも彼らであった。

西地中海域の鉱物資源に目をつけると、前九世紀頃より頻繁に西方に出没するようになり、前八一四年頃、北アフリカに植民市カルタゴを建設した。伝説では、テュロスを出奔した王女エリッサがキプロス島の豊穣神アスタルテの巫女たちを従えて建国したとされている。なおこの女神はカルタゴでは豊穣と収穫と月の女神タニットと同化された。シチリア西部でもこの女神のシンボルとヘルメスの杖（ケリュケイオン、カドゥケウス）の印が見つかっている。二匹の蛇が巻き付いた杖は、商業や医療などのシンボルとして古代オリエントに伝わるものであった。

また、ウェルギリウス（前一世紀）の叙事詩『アエネイス』の中では、ローマ建国の祖となるアイネイアスがトロイアからイタリアへの途上、シチリアとカルタゴに立ち寄ったこと、そして彼が出航したとき、彼に恋していた女王ディドが焼身自殺したことが語られている。

セリヌンテに残るタニットとヘルメス杖のシンボル
Tanit e Caduceo, Selinunte

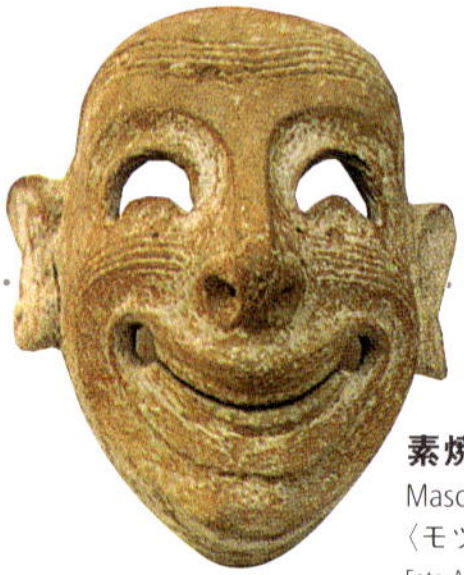

素焼きの泣き笑い仮面
Maschera ghignante, Mozia
〈モツィアの博物館蔵〉
Foto:Arch.Medusa Ed.

前八世紀になるとギリシア人が続々とシチリアへ入植し、島の南東部沿岸地帯を占拠し始めたが、カルタゴのフェニキア人はシチリアの北西部にいくつかの拠点を設けて穏便に交易を続けた。また、前六世紀にイタリア半島中部で全盛期を謳歌したエトルリアとも交易により共存共栄していた。だが次第にシラクーサが軍事的に強大化していったことは脅威であった。

そのような時、アクラガス（現アグリジェント）が北岸のヒメラを侵略する。駆逐されたヒメラの支配者がカルタゴに援軍を要請すると、前四八〇年、カルタゴはそれに応えた（ヘロドトスはその数三十万と伝えている）。だが機略を以てシラクーサとアクラガスの連合軍が勝利を収めた。両市が立派なモニュメントを奉献したことは前述（14、29～30頁）のとおりである。

なお、この時の講和により、カルタゴで父神バールなどのために行なわれていた幼児の犠牲式が廃止されたことも知ら

ギリシア風彫刻が施されたエジプト風石棺
Sarcofago antropoide
ソルントのネクロポリス、カンニータより出土。両文明の融合が見られる。前5世紀のもの。
〈パレルモ考古学博物館蔵〉

れている。それは、古代中東で崇められていたモレク神のために幼児を生きたまま焼いて捧げる祭儀が踏襲されたものであった。カルタゴやモツィアでは、その聖所《トフェット》の遺跡が見つかっている。また、出土品のうち「泣き笑い仮面」も興味深い。これは神に幼児を捧げる親の心境を表すものだという説もあるし、魔除けだとする説もある。同じような仮面はサルデーニャなど、他のカルタゴ系遺跡でも見つかっている。

　ともあれこのヒメラ戦争後七十年間もおとなしくしていたカルタゴが再び決起する。それは、セジェスタに請われてシチリアに遠征したアテネ軍がシラクーサに敗退し、孤立無援に陥ったセジェスタが今度はカルタゴに助けを求めたからであった。前四〇九年、カルタゴは、セジェスタの脅威であったセリヌンテを速攻で滅ぼした（38頁）。そして軍を北に向け、七十年前の汚辱の原因をつくったヒメラを滅ぼして一旦退却した。その後、盟約の締結を拒んだアクラガスを八ケ月の攻囲によって落とす（前四〇六年）と、その余勢を駆ってゲラ、カマリナを滅ぼし、シラクーサに迫った。

　このような危機的状況の中、シラクーサでは若きディオニュシオスが頭角を現わす。独裁者となると、シラクーサを要塞化（18頁）し、ギリシアやケルトからも傭兵を雇い、斬新な弩砲《バリスタ》や投石機《カタパルテス》を開発するなど軍隊を強化して、カルタゴの島内拠点モツィアを攻め滅ぼした（前三九七年）。

　だがカルタゴはすぐさまリリベーオ（現マルサーラ）に新たな基地を建設し、シラクーサと延々戦い続けた。

　そして前三世紀になると、強大化したローマが南下して来て遂にカルタゴを打破したのである（第一次ポエニ戦争、前二六四〜前二四一年。ポエニはカルタゴ人をさすラテン語）。その最後の決戦、エガディ沖の海戦でローマに撃沈されたという五十隻のカルタゴ船のうちの一隻と思われる二段櫂船の残骸（三十五メートルのうち十メートル）がマルサーラの考古学博物館に展示されている。

トフェットの墓碑 Stele votive, Mozia
生け贄となった幼児のもの。
〈モツィアの博物館蔵〉

リリベーオ出土の墓碑
Edicola funeraria, Lilibeo
前1世紀。ローマ支配下のものだが、ここにもタニットとヘルメス杖が描かれている。
〈マルサーラ考古学博物館蔵〉

MOZIA

モツィア
潟に浮かぶフェニキア都市

［右上］
塩田 Saline
塩の山は瓦（ciaramira）で保護されている。

［右下3点、上から］
コトン Cothon
51×35.5m、平底のプール。船渠か?

ネクロポリス Necropoli
生け贄となった幼児が埋葬された。

北門 Porta Nord
塔にはさまれた堅固な門。ここと本土のビルジを結ぶ直線路の遺構がなおも海底に残っている。

前八世紀、カルタゴによって建設されたシチリアにおける基地である。細長い島で外海から守られた潟に浮かぶわずか五十ヘクタールの小島である。塩田の広がる岸辺から小船で向かう。潟は浅く、水路を知らない敵船は座礁してしまうという仕組みである。

この小島は十九世紀にイギリス人実業家ウィタカーの息子によって買い取られ、発掘された。トロイアに魅せられていた友人シュリーマンも訪れたことがあったという。城壁に囲まれ、南門の近くには平石を敷き詰めた船渠のようなもの（**コトン**）、西側には祭壇トフェットと**ネクロポリス**、**北門**の近くに神域**カッピダッツ**、および紡績や染色などの産業地区が見つかっている。

博物館の目玉は「**モツィアの青年像**」だ。何の像かは謎のままだが、前五世紀のみごとなギリシア彫刻である。その他、生け贄となった幼児の墓碑、紡績の錘りなども並んでいる。

モツィアの青年像 Giovane di Mozia
1979年に産業地区から出土した。

SOLUNTO
ソルント
フェニキア起源のローマ遺跡

［上・中右］
ハルポクラテス（幼少のホルス神）**の青銅像が見つかった家**
Casa di Arpocrate con pavimento in opus signinum
簡素なモザイク床が美しい。

［中左］
遺跡の眺め。目抜き通りはテラコッタで舗装されていた。

今日の州都パレルモもフェニキア人の重要な居留地であった（王宮の地下に前五世紀の市壁が見られる）が、パレルモ東方近郊のソルントもこのような都市のひとつであった。遺構は、バゲリーアの市街地から三キロメートル、ティレニア海に面した標高二百メートル以上の丘の上、見晴らしのさく荒涼とした吹きさらしの斜面にある。

建設は前八世紀にさかのぼると伝えられているが、前四世紀初頭にギリシア化される以前の遺構はほとんど残っていない。ここは一種の聖域（アクロポリス）で、集落はもっと下の方にあったのではないかという解釈もある。

ほぼ水平な目抜き通り《プラテイア》に沿った斜面に居住区が並び、北に大貯水槽や市民広場《アゴラ》の柱廊、劇場などが見られる。ローマ時代の壁画や出土品（二つのエジプト風石棺など。写真は109頁）はパレルモの考古学博物館に、近年の出土品は遺跡付属の博物館に置かれている。

［下左］**大貯水槽** Grande cisterna
屋根を支えていた角柱の跡がある。

［下右］**ギムナジウム**（錬成所） Ginnasio
その存在を示す碑文がここで見つかったのでそう呼ばれているが、レダと白鳥の壁画があった家の柱廊である。この家には天球儀の床モザイクも残っている。

青銅器時代の考古学と伝説

シチリアは、自然の摂理を寓意するギリシア神話の舞台である。だが神話だけではない。この島がまだシカニアと呼ばれていた先史時代、とくに青銅器時代にも東地中海世界と関わりがあったことを示唆する伝説と、それを裏付ける痕跡もあるのだ。

サンタンジェロ・ムクサロ、君主の墓
Tomba del Principe a Sant'Angelo Muxaro

名匠ダイダロスのシカニア渡来

女神アテナの教えを受けて建築や工芸の大家となったダイダロスは、優れた甥を妬んで殺し、アテネを出奔した。そして**クレタ島のミノス王**に仕え、クノッソスの迷宮ラビリントスを設計したり、牡牛に恋した王妃のために牝牛に化ける装置をこしらえる。やがて王妃が半人半牛の怪物ミノタウロスを産むと、ミノス王はこれに関わったダイダロスを迷宮に幽閉してしまう。だが名匠は王妃の手引きにより船で島を逃れた（翼をつくって脱出したという伝説の方が有名だが）。途中、息子のイカロスは海に落ちて死んだが、さらに西に向かってシカニアにたどり着き、**城市カミコスのコカロス王**のもとに匿われ、仕えることになった。

さてミノス王は、巻貝に糸を通す案を募集して知恵者ダイダロスの行方をつきとめた。貝の先端に蜜をぬり、蟻に糸をつけて通すという妙案がシカニアから提出されたからである。艦隊を仕立てて遠征してきたミノス王を、コカロス王はもてなすふりをして暗殺してしまう。娘たちが浴場で王に熱湯を浴びせたのであった。王の従者はシカニアに立派な墓廟をつくって王の亡骸を葬ると、そのまま住み着いたという（ちなみにミノス王は死後、冥界の裁判官となった）。

サンタンジェロ・ムクサロ出土の祭祀用盃 Patera d'Oro
アグリジェント考古学博物館にある複製。4枚のうち2枚に東方風の牛の図柄が打ち出されていた。3枚は紛失し、実物1枚が大英博物館にある。

これはディオドロス（前一世紀のシチリア人史家）の伝える話であるが、ヘロドトスによる後日譚もある。クレタ人がミノス王の仇討ちのためシカニアに遠征し、カミコスを五年間攻囲したものの撤退した／カミコスはアクラガス（現アグリジェント）に相当する／さらに二世代を経てトロイア戦争が起きた、というものだ（『歴史』巻七）。

だがアグリジェントがカミコスだったという可能性は低く、むしろ、アグリジェントより三十キロほど内陸部のサンタンジェロ・ムクサロの辺りにあったのではないかという説の方が有力である。そ

パナレーア島の集落跡
Villaggio preistorico, punta Milazzese, Panarea

こには岩をくりぬいてつくった二重墓室（直径八メートルと六メートルのお椀を伏せてつなげた形）をもつ洞窟墳墓があり、付近からは富の集中を示す金の印章指輪や金の祭祀用盃が複数見つかっていることから推論したものだ。これらの金製品は、河川を遡行してやって来たフェニキア人がもたらしたものと考えられており、時代が新しすぎるが、ミケーネ文明期（前十五～前十二世紀）の青銅製品や陶器も出土しているのである。

シチリアにおける青銅器時代初期は前十九世紀末頃に始まり、前十五世紀以降を中期、前十三世紀以降を後期としている。初期はノート近郊の**カステッルッチョ**で見つかったような小屋掛けの集落とかまど型墳墓が特徴である（**カステッルッチョ文化**）。中期に属すアウグスタ湾の**タプソス**岬からはミケーネやキプロスから輸入された高い脚をもつ容器やガラス粒の宝飾品などが出土しており、東地中海域との交易が盛んであったことが裏付けられている（**タプソス文化**）。ダイダロス伝説が史実であるなら、おそらくこの時期のことと考えられるであろう。後期になると、半島部からシクリ族が渡来して沿岸部に定住したので、先住民は川を遡行して内陸部に退いた。シラクーサ内陸部の大集落**パンタリカ**がまさにこれである（二〇〇五年よりユネスコ指定の世界文化遺産）。岸壁に穿たれた五千ものかまど型墳墓群をもつ巨大文化圏であり、富の集中も見られ、巨石造りによる王の宮殿は前十二世紀頃のミケーネ風建築物と考えられている（**パンタリカ文化**）。ここがカミコスだとする説もあるが物証はない。これらの地からの出土品はアグリジェントやシラクーサの考古学博物館に収蔵されている（写真24頁）。

風の司アイオロス

イタリア半島とシチリアの間に点々と浮かぶエオリエ（＝アイオロスの）諸島は風の司アイオロスの統《す》べる地であった。ホメロスによれば、それは堅固な青銅造りの城壁に守られており、オデュッセウスはトロイア戦争の話を所望されるまま丸一月もの間ここでもてなされ、逆風をとじ込めた革袋を餞別に贈られたという。

この火山群島の中心であるリパリ島は酸性火山の島であり、鋭利な石器をつくるための**黒耀石**が採れる。そのため石器時代から交易が盛んで富み栄えていた（前三〇〇〇年頃の最盛期は**ディアナ文化**と呼ばれている）。この石器文化は金属器の出現により衰退した。

だが青銅器時代になると、青銅をつくるための錫や鉛などの鉱物を求めて東地中海からの船が盛んに往来するようになり、ティレニア海に点在するこの諸島はその中継地として再び栄えるようになった。集落跡から出土した東地中海産の物品がそれを裏付けている（初期は**カーポ・グラツィアーノ文化**、中期は**ミラッツェーゼ文化**と呼ばれている）。

また、史家ディオドロスは、この群島はイタリア半島のアウソーニ族の王アウソンの息子**リパロス**（富める者という意味）によって征服され、その名前がつけられたと伝えている。そしてリパロス王の一人娘を娶って王位を継いだのが配下のアイオロスであった。ホメロスが風の司と呼んだ人物である。なお、考古学調査によれば、前十三世紀後半の地層には大火の形跡があり、それ以後、火葬による骨壺埋葬法など半島的要素が導入されたことが判っている（**アウソニオ文化**と分類されている）。この時代の富を示す大きな青銅貯蔵甕は、黒耀石の石器などとともに、リパリ島の城砦にある考古学博物館に置かれている。

ISOLE EOLIE
エオリエ諸島
オデュッセイアの世界

［左頁上から］
フィリクーディ島、グラツィアーノ岬 Capo Graziano, Filicudi
青銅器時代前期の集落跡がある。

フィリクーディ島のホテル　赤いのは干しトマト。

リパリ島の城砦

リパリ島ディアナ地区の石棺群 Sarcofaghi presso la contrada Diana, Lipari

パナレーア島の民家

ミラッツォから水中翼船《アリスカーフォ》に乗ると、小一時間でリパリ島に到着だ。その人口はわずか一万、街は鄙《ひな》びているが、夏はリゾート客でにわかに活気づく。映画『カオス・シチリア物語』のラストシーンで有名になった軽石《ポミチエ》の山は北東部にある。

また、前頁で述べたように、石器時代にまでさかのぼる歴史の宝庫でもある。**ディアナ地区**の古代墓地《ネクロポリス》にずらりと並べられた石棺は圧巻だ。ベルナボ・ブレア博士が戦後に発掘したもので、中身の副葬品は**城砦**内の**考古学博物館**に並べられている。地元の絵付け

［上］**サリーナ島、ポッラーラの海**
［中］**ストロンボリ島、ジノストラの村人**
［下］**マルヴァシア酒のためのぶどう**

師によるユーモラスな絵の陶器（前四～前三世紀）と、おびただしい数の演劇のミニチュア仮面はこの島ならではの副葬品である。なお博物館北側の広場には、洗練された料理でその名の知れたレストランがある。

エオリエ諸島は、昨今とみに観光地化が進んでいるとはいえ、フィリクーディ島やパナレーア島など、青銅器時代の集落の小屋跡がそのまま残っているくらいだから、現代の旅人には驚くべきことも少なくない。まず、島々には水源がないので、雨水を溜めたり、タンカーで給水してもらっている。よって風呂やトイレの水は節約せねばならない。電気はほぼ引かれているが、今もなお間歇的に噴火をくり返すストロンボリ島西端の孤村ジノストラでは、ソーラー自家発電か、あるいはろうそくと懐中電灯の生活であり、ホテルはなく民宿のみである。太古の気分を満喫できるこの村や、群島西外れのアリクーディ島には舗装された車道もなく、ロバが物資を運んでいる。

一方、パナレーア島は夏場、若い観光客が押寄せてにぎわうし、二つの優美な円錐形の山をもつサリーナ島は緑豊かな農業の島である。裾野には**マルヴァシア**（同名のデザートワインも有名）種のぶどう畑が広がり、子供たちの姿も目につき、生活感がある。西側のポッラーラ区の海岸には陥没した火口跡があり、映画『イル・ポスティーノ』のロケ地としても知られている。また、ヴルカーノ島は船着場にまで硫黄の臭いが漂ってくる。泥温泉に浸かったり、黒砂の浜で泳いだり、くすぶる火口に登ったりして楽しめる。この群島で新鮮な海の幸（トタニというイカなど）を堪能した後は、前記の美酒マルヴァシアで締めくくりたい。夜は満天の星を仰ぐことができるだろう。

スクリーンに映ったシチリア

シチリアを舞台にした映画は多々ある。映画を見て旅心をそそられたり、旅を思い返したりする人もいることであろう。

まずは、シチリア生まれの監督ジュゼッペ・トルナトーレの『ニュー・シネマ・パラダイス』（'89年）を挙げたい。この映画で彼は、広角レンズで撮った内陸部の小さな村パラッツォ・アドリアーノと海辺のチェファルーの映像を組み合わせ、シチリアの原風景ともいえる町を作り出した。貧しい戦後の話だが暗さはない。映画という娯楽を主題とし、未来ある子供が主役だからである。郷愁の中に明るい躍動感を感じさせるエンニオ・モリコーネの音楽が映像を一層鮮明なものにしている。あまりにも有名なラストシーンに涙を誘われた人も多いことと思う。

同監督は九五年の『明日を夢見て』ではとりわけシチリアへの思い入れの強さを打ち出した。映画のオーディションという形式で、羊飼い、山賊、千人隊の生き残りといった島民にそれぞれ人生や暮らしを語らせるという驚くべき手法により、シチリア独特の歴史や風土を一気に観衆に伝えることに成功している。ラグーサの美しい映像もすばらしい。二〇〇〇年にはシラクーサで撮った『マレーナ』を公開した。偏見と因習に満ちたこの島で戦中から戦後にかけての混乱期を生きた一人の美女の人生を、思春期の少年の目を通して描いている。

『ニュー・シネマ・パラダイス』
SUPER HI-BIT EDITION
〈デジタル・リマスター〉
¥2500円　発売：アスミック

『明日を夢見て』
ラグーサ・イブラでの場面。写真提供＝ポニー・キャニオン

映像詩人タヴィアーニ兄弟の『カオス・シチリア物語』（'84年）もシチリアの風土、風習を知る上で重要な作品だ。ピランデッロの短篇七話を綴り合わせたものである。導入部のニコラ・ピオヴァーニの謎めいた音楽とともに空撮されたセジェスタの神殿が画面に映し出されると、一気にシチリアへと誘い込まれる。全てのショットが魔法のように美しく印象的である。ラグーサ・イブラの街と近郊の農村風景がくり返し映し出され、老作家が帰郷する場面では、近代演劇の父と呼ばれる原作者へのオマージュとしてシラクーサの劇場が映る。そして亡き母との対話の場面から、モーツァルトの調べ（フィガロの結婚）に乗って映し出されるエンディングの軽石の浜と碧い海のシーンは夢のようだ。

そしてヴィスコンティ監督もシチリアを舞台にして二つの長篇大作を撮った。ランペドゥーサの小説をもとにした『山猫』（'63年）は、イタリアへの併合という歴史的瞬間に揺れるシチリアの貴族社会を、変化を受け入れるには老い過ぎた旧貴族と、時代の波を鮮やかに乗りこなそうとする青年を通して描いている。老貴族を演じるバート・ランカスターと、未来を夢見る若いアラン・ドロンとクラウディア・カルディナーレのコントラスト

『**カオス・シチリア物語**』より、最後の挿話「母との対話」の一場面。
写真提供＝（財）川喜多記念映画文化財団

があまりにもまぶしい。もちろんヴィスコンティならではの豪華絢爛で重厚な映像は永久保存の値打ちものだ。近年復刻された完全版の方が、時代のエピソードなどがより丁寧に扱われている。もう一方の『揺れる大地』（'48年）は、落ちぶれていく貧しい漁民を描いたヴェルガの小説を原作としており、戦後のネオレアリズモの代表的作品の一つである。共産党のPRを意図したからか、ドキュメンタリーのような作風である。主役を含め、アーチ・トレッツァの村人が登場人物全員を演じたことも話題であった。

　趣きはがらりと異なるが『ゴッドファーザーPARTⅢ』（'90年）も言及に値する。マリオ・プーゾの小説から始まったシリーズの第三部で、主人公マイケルが父の出身地シチリアを訪れる場面がある。実際のコルレオーネ村は絵にならない寒村なので、撮影はセジェスタやタオルミーナ近郊の小都市など島の各所で行なわれた。プーピ（69頁）の場面もあり、それが終幕への予告となる。クライマックスはパレルモのマッシモ劇場でシチリアが舞台のオペラ『カヴァレリア・ルスティカーナ』が上演される。この場面とヴァティカン宮殿での教皇暗殺事件が同時進行する。コッポラ監督の周到かつ緻密な構成と編集はみごとだ。

『**山猫**』のクライマックス。サリーナ公爵とアンジェリカのワルツが他の貴族を圧倒する。
写真提供＝（財）川喜多記念映画文化財団

　また『グラン・ブルー』（'88年）は素潜りの世界記録に挑戦する男たちの話であり、タオルミーナのホテル、サン・ドメニコ・パレスとカーポ・タオルミーナで撮影された。ジャック・マイヨールの自伝に基づいているが、ジャン・レノ演じる実在のエンツォ・マヨルカは、映画で描かれたような、外国人の考えるステレオタイプの軽いイタリア人ではなく、知的で気高いシラクーサの男である。

　さて、コメディーならロベルト・ベニーニの『ジョニーの事情』（'91年）が挙げられる。改悛したマフィア（おそらくトンマーゾ・ブシェッタ。73頁参照）をヒントにした入念な脚本および俳優たちのキャラと演技力が低俗ながらも高度な笑いを構築している。数々のロケ場面も美しい。劇場のシーンはカターニアのベッリーニ劇場である。

　これと対極にあるのが、フランチェスコ・ロージ監督の社会派映画『シシリーの黒い霧』（'62年）である。近年では、マルコ・トゥリオ・ジョルダーナ監督の『ペッピーノの百歩』（'00年）が記憶に残る。七〇年代の反マフィア運動に身を投じて暗殺された青年の実話を扱ったものだ。

　その他、ロッセリーニ監督の『ストロンボリ』（'50年）や、ガリバルディと千人隊の遠征を扱った『イタリア万歳！』（'60年）、M・アントニオーニの『情事』（'60年）、ジャンニ・アメリオの『小さな旅人』（'92年）など色々あるが、紹介しきれないのが残念だ。

シチリアの郷土料理と銘酒

シチリアの食の豊かさは、その歴史と風土の賜物である。レストランの食事に限らない。街の青空市場を覗くだけでも楽しくなる。例えば、初めてシチリアを旅した時に、血のしたたるような赤いオレンジを目にして驚いたものだが、あれは今ではすっかり有名になってしまった。屋台のスナックもおいしいし、菓子店のウィンドーも人の目を惹き付ける。また、シチリアは広い島国ゆえ、東と西、沿岸部と内陸部、それぞれの料理に土地柄がある。

まず主食のパンであるが、シチリアのパンはイタリア随一である。**硬質小麦**《グラーノ・ドゥーロ》でつくるのでもっちりとした歯ごたえがすばらしい。こだわりのあるレストランでは、セモリナ粉という極上硬質小麦を使ったほんのり黄色いパンを出す。

前菜《アンティパスト》では、茄子をケッパー《カッペリ》やセロリなどと甘酸っぱく煮込んだ**カポナータ**、同じく色とりどりのピーマンを煮込んだ**ペペロナータ**、**サルデ・ア・ベッカフィーコ**という開いたいわしの巻物（中にはオレンジ果汁のしみたパン粉、松の実、おろしチーズなど）のオーヴン焼きもある。甘酸っぱい風味がシチリア的だ。

パレルモなど西部には、**パネッレ**というひよこ豆《チェーチ》（＝エジプト豆）の粉でつくった板状の揚げ物や、半透明の軟骨のサラダなどもある。めかじきの薫製《ペッシエスパーダ・アフミカート》も香ばしく美味しい。

プリモ（一皿目の料理）にも地方色がある。パレルモなどではやはり**パスタ・コン・レ・サルデ**を試したい。いわしを松の実、フェンネルの葉、干しぶどうなどで煮込んだソースであえたブカティーニ（穴あきパスタ）に**モッリーカ**という炒めたパン粉をふりかけていただく。

カターニアなど西部ではパスタ・アッラ・ノルマが定番だ。茄子とバジリコ入りトマトソースにリコッタ・サラータ（チーズを作る過程でしみ出た乳清に再び凝乳酵素を加え、加熱して得たリコッタを塩蔵したもの）の粉をふりかけてある。アーモンド《マンドルラ》やピスタチオ《ピスタキオ》、あるいは胡桃《ノーチエ》のペーストソースであえたパスタを出す店もある。

南東部には、**マッコ・ディ・ファーヴェ**（とうがらし入りそら豆のスープ）や、**ズッパ・ディ・チェーチ**（ひよこ豆のスープ）

リパリ島のリストランテ・フィリッピーノの料理

前菜はめかじきのミンチをふんわりと固めたものに薫製の魚でオレンジを包んだもの。溶岩に見立てたイカ墨のリゾットにはいわしの塩辛を混ぜていただく。奥はめかじきの巻物（インヴォルティーニ）。

［右上］**血の色のオレンジ**
Tarocchi (arance rosse)

［左上］**マルトラーナ果の菓子**
Frutta Martorana
植物色素で、果物を模してある。

［左中］**カッサータ** Cassata
リコッタクリームのケーキ。

［左下左］**ノルマ風パスタ** Pasta alla Norma

［左下右］**いわしのパスタ** Pasta con le sarde

などの豆料理がある。

チェファルー辺りは**カルチョーフィ**（朝鮮アザミ）の名産地なので、春先にはこれの蕾の芯を使ったパスタが見逃せない。

魚介ものでは、うに《リッチョ・ディ・マーレ》のパスタならアーチ・トレッツァが本場だ。まぐろの**ボッタルガ**（卵巣の塩漬）のパスタなら場所は問わない。

セコンド（メインの料理）は、海辺や魚市場の近くならば、新鮮な魚介のグリルがおいしい。春先ならば、生あるいはフライにした**ネオナート**（いわしの稚魚）が食べられるかもしれない。薄切りのめかじきにパン粉や松の実、干しぶどうなどを巻き込んだ**インヴォルティーニ・ディ・ペッシェスパーダ**という料理もシチリアらしい。パン粉を使って料理のヴォリュームを出すというのは、庶民の生活の知恵のようだ。

もちろん各種肉やソーセージ《サルシーチャ》のグリルもあるが、酪農の盛んなラグーサ県の特産品は**カチョカヴァッロ**というチーズ（中南部イタリアではカチョと言う）である。角柱形と巾着形があり、馬《カヴァッロ》の積荷のように天井の梁に吊るして熟成させるため、そう呼ばれているのだ。このチーズの薫製やグリルもおいしい。また、牧羊の盛んな所では**ペコリーノ**（山羊のチーズ）がつくられる。

付け合わせの野菜《コントルノ》は季節により様々であるが、シチリア風サラダ《インサラータ》には通常、ケッパーの実やオリーヴが入っている。また、冬場にはと

シチリアの郷土料理と銘酒

[左]アランチーナ Arancine
[右]カンノーロ Cannoli

うがらしのきいたオレンジやういきょう《フィノッキオ》のサラダもある。

デザート《デッセール》の菓子《ドルチェ》は、涼しい季節なら新鮮なリコッタでつくったクリーム（脂肪分が抜けているので重くない）を使ったものが絶品だ。これを筒状のビスケットに詰めた**カンノーロ**、このケーキを砂糖でコーティングし、果物の砂糖漬けを飾った**カッサータ**（夏場はセミフレッドという冷菓になる）などである。エリチェやシラクーサなど、アーモンドの産地ではアーモンド粉によるしっとりしたクッキーもある。焼かずに、アーモンド粉の生地（**パスタ・レアーレ**＝王の練り粉）で果物を模造した**マルトラーナ**の「果物」も有名だ。マルトラーナの修道女が十三世紀に創作したものである。また、シチリアの**ピスタキオ**（特にエトナ西方のブロンテ産）が世界一美味しいことはジェラートファンによく知られている。

またシチリアでは、タヴォラ・カルダ（スナック店）で買い食いする軽食も豊富である。まずはアラブ人が導入した米作に由来する**アランチーナ**という揚げおにぎりだ。握り形によって中の具が異なる場合がある。東部や本土ではアランチーノと呼ぶ。パレルモでは**ミルツァ**（脾臓等、モツのラード炒め）のフォカッチャ（丸パン）が名物であったが、狂牛病騒ぎで屋台が減ってしまった。**スフィンチューニ**というピッツァ風おかずのせパンもある。

そして陽光豊かなこの島では季節の果物も糖度が高くおいしい。とりわけ柑橘類は特産で、エトナの南側でとれる果肉の赤いオレンジは有名だ。これには**タロッコ**、**サングイネッラ**、**モーロ**などの種類があるが、いずれもビタミン、ミネラルが豊富なうえ、アントシアニン（天然色素成分）による抗酸化作用があり珍重されている。冬から春先にかけての旅なら、バールなどで新鮮な生絞り《スプレムータ》を飲むことができる。

また料理はやはり地元のワイン《ヴィノ》とともに味わいたい。よく冷えた白は何にでも合うが、この島のワインの七割以上が白で、DOCの**アルカモ**など、上質なものは西部、特にトラーパニ県でつくられる。カタラット種やインゾリア種が主流だが、ダマスキーノ種や国際種のシャルドネもある。商標は挙げきれないが、ドンナフガータとコルヴォは最もポピュラーだろう。

赤なら断然**ネーロ・ダヴォラ**である。もはやシチリアの赤を代表し、世界に名が知られ、アヴォラのみならず島中至る所で栽培されている。だが、DOCGの**チェラスオーロ・ディ・ヴィットリア**も試してみたい。レパントの海戦の立役者にしてシチリア総督マルカントニオ・コロンナの娘、モディカ伯に嫁いだヴィットリアにちなむ高貴な赤である。

またデザートワインも豊富である。まずはナポレオン戦争時代に生まれた**マルサーラ**（辛口《セッコ》と甘口《ドルチェ》がある）、そしてアフリカに近い**パンテッレリア島のモスカー**《モスカート・パッシート・ディ・》**ト・パッシート**《パンテッレリア》（干してから穫り入れたマスカット）や**ジビッボ**（フェニキア人がエジプトから導入した品種）、**ノートやシラクーサ**《モスカート・ディ・ノート、》**のモスカート**《ディ・シラクーサ》、**リパリのマルヴァシア**《マルヴァシア・デッレ・リパリ》、あるいはアーモンドでつくる食前酒（**ヴィノ・アッラ・マンドルラ**）や**アヴェルナ**というアマーロ（苦草のリキュール）もある。魚介の後には**リモンチェッロ**（レモンリキュール）がお勧めだ。

シチリア史略年表

- 前8世紀〜　フェニキア人が沿岸部に頻繁に出没
- 前756年　**ギリシア人の入植**が始まる
- 前6世紀〜　各都市に僭主が登場する
- 前484年　ゲロン、シラクーサに君臨
- 前480年　**ヒメラの戦い**
  ギリシア連合軍がカルタゴ軍に勝利
- 前474年　ヒエロン、カンパニアのクーマ沖でエトルリア海軍を破る
- 前461年　先住民シクリ族の反乱（〜前440年）
- 前427年　シチリア島内紛争
- 前415年　**アテネのシチリア遠征とシラクーサにおける敗北**（〜前413年）
- 前409年　**カルタゴの再来襲**
- 前407年　**ディオニュシオス登場**
- 前343年　ティモレオン、コリントスから司令官として招かれる
- 前317年　アガトクレスが登場
- 前278年　エペイロス王ピュロス来島
- 前270年　**ヒエロン2世**がシラクーサの支配者となる（この頃**アルキメデス**が活躍）
- 前264年　**ローマ、シチリアに南下**
- 前241年　ローマ、カルタゴ海軍を打破
  （**第一次ポエニ戦争**）
- 前212年　シラクーサの陥落
- 前210年　**ローマが全島を制圧、属州化**
- 前2世紀　大規模な**奴隷の反乱**が相次ぐ
- 前73年　属州長官ウェッレスが島内で汚職と窃盗（〜前71年）
- 前70年　キケロによる**ウェッレス裁判**
- 前43年　セクストゥス・ポンペイウス、シチリアを占拠（〜前36年）
- 3世紀〜　シチリアにキリスト教が普及
- 293年　ローマ帝国四分割統治開始
  （P・アルメリーナ近郊のモザイク屋敷はこの頃の建設か？）

- 468年〜　蛮族がシチリアを領有
- 535年　東ローマ（ビザンツ）帝国軍がシチリアを征服
- 663年　シラクーサ、一時的にビザンツ帝国の首都となる（〜688年）
- 8〜9世紀　ビザンツ本国に対する反乱がしばしば起こる
- 827年　**イスラム軍、シチリアに上陸**
- 902年　ビザンツの牙城タオルミーナが陥落。**イスラム軍が全島を制圧**
- 947年　カルブ朝、独立自治開始
- 1038年　マニアケス麾下ビザンツ軍のシチリア侵攻、敗れて撤退
- 1061年　ノルマン人のシチリア侵攻開始
- 1072年　**ノルマン人、パレルモを征服**
- 1091年　ルッジェーロ大伯、全島を制圧
- 1128年　ルッジェーロ2世、南伊を併合
- 1130年　**シチリア、王国となる**
- 1194年　ホーエンシュタウフェン家がシチリアの王位を奪取
- 1198年　**フェデリーコ2世、王位継承**
- 1250年　フェデリーコ2世没
- 1268年　アンジュー家がシチリア王位を奪取し、ナポリに宮廷を置く
- 1282年　パレルモで**晩禱事件**勃発、アラゴン家がシチリアを支配する
- 14世紀後半　キアラモンテ家が権勢を揮う
- 1412年〜　**スペインの属領支配**
- 15〜17世紀　島内に反乱と暴動が頻発
- 1693年　島の南東部に壊滅的な**大地震**
- 1713年　スペイン継承戦争の結果、サヴォイア家がシチリアを領有
- 1720年　オーストリアの支配下に移行

- 1734年　スペイン・ブルボン家、ナポリとシチリアを征服し、次男カルロ治下の独立国とする
- 1798年〜　**ナポレオン戦争**
  シチリアにイギリス海軍が駐留する
- 1816年　ブルボン家がナポリに復位し、**両シチリア王国**を立ち上げる。以後、シチリアのナポリからの分離独立運動が盛んになる
- 1860年　**ガリバルディと千人隊**に征服され、イタリア王国に併合される
- 統一後〜　**山賊**増大、政府軍を投入して検挙
- 19世紀末　労働運動が激化するが政府軍によって撲滅される
  ＊自由主義政府と財界の腐敗
  ＊**出稼ぎ移民**の増大
- 1920年頃　ファシズムの台頭
- 1925年〜　ファシズム政府、山賊撲滅作戦
- 1946年　第二次大戦に敗れた後、イタリアは共和国となり、シチリアは**特別自治州**となる
- 1950年〜　南部開発公庫の設置により、シチリアへの資金投下始まる
  ＊**マフィアの凶悪化**
- 1982年〜　マフィア撲滅作戦遂行とマフィア側の報復の激化
- 1989年〜　映画『ニュー・シネマ・パラダイス』が島のイメージを刷新
- 1992年〜　パレルモ地検の**ファルコーネ**と**ボルセッリーノ**両判事、相次いでマフィアに爆殺され、国防省が「晩禱（根絶）作戦」を展開
- 2006年　マフィアの大ボスB・プロヴェンツァーノが逮捕される

[上左] **リパリのマリーナ・コルタ**　[上右] **タオルミーナ、4月9日広場**
[中左] **シラクーサ、ドゥオモ広場**　[中右] **パレルモ、プレトリア広場**
[下] **シラクーサ、ドゥオモの床**　15世紀に敷かれたもの。
[左頁] **シラクーサ、ドゥオモ　ファサードの鉄扉**

シチリアへの旅行メモ

気候

常夏の国のように思われがちなシチリアであるがもちろん四季がある。冬は地中海性気候のため雨期であるが降り続くほどではない。湿気があるため下草が青々として草花も咲いており、温暖である。春は天候が不順だが、復活祭前後から気候が安定し、野山は草花におおわれ、旅行のハイシーズンが始まる。とはいえエリチェやエンナなどの高地は冷え込む。夏は全般的にひじょうに暑くなる。が、九月に入れば朝晩はしのぎやすくなり、空は真っ青、十月でも日差しはまだ夏のようだ。また、年に数回、北アフリカからシロッコという強い熱風が吹くことがある。

交通

空路ならパレルモやカターニアまで、アリタリアの国内便が多数あるし、各種国際便もある。日本からの即日到着も可能。また、ナポリからパレルモやエオリエ諸島行きの船もあり、夏期にはナポリから数時間でパレルモに着く高速船も運行する。列車はローマから半日がかりだし、寝台料金は飛行機代並みである。だがメッシーナ海峡を列車ごと船に乗って渡るのはちょっと面白い。ただし安価な簡易寝台《クチエッタ》は男女混乗なので女性の一人旅には勧められない。

島内の各空港から市内へはバスが頻繁に往復している。主要都市間の移動には鉄道があるが、パレルモ～カターニア間など、公共バスの方が時間的に速い場合もある。小都市へは県庁所在地から郊外バスを利用すればよい。ただし休日は本数が激減する。レンタカーの旅は、渋滞や駐車問題の多い大都市以外なら、人里離れた遺跡巡りや田舎巡りには便利だ。日本で予約しておいた方が確実である。

また、ピアッツァ・アルメリーナ近郊のモザイク屋敷やエトナ山、セジェスタやセリヌンテなど、個人では訪れにくい場所には、タオルミーナのSAT社やパレルモのLabisi社など、各都市発の値頃な日帰り遠足バスツアーを利用するのも手である。運転手つきの車やミニバスもある。検索したり、現地のホテルで尋ねてみるとよいだろう。

宿泊・旅程・治安

近年かなり観光基盤が整い、快適なホテルが増えた。インターネットで探して簡単に予約できる。レンタカー旅行者は駐車場付きの宿を選んだ方が安全だ。アグリトゥーリズモの宿も多々ある。

旅程を組むには、かなり大きな島であるし見どころも多いので、一週間くらいでは慌ただしい。個人旅行には移動時間のロスもある。遺跡やモニュメントだけでなく、博物館や美術館も覗きたいのであれば、ゆとりある日程が欲しい。

治安については本土と大差はない。田舎町は安全だが、都市部ではやはりひったくりや軽犯罪に気を付けよう。

シチリア人について

シチリア人はステレオタイプ化された「イタリア人」とは異なる。刹那的なところはあまり見られない。かといって暗くて疑り深いという偏見も肯定できない。おしなべて郷土愛に満ち、きまじめで自尊心が強く、どちらかというと頑固な田舎者で、おとこ気があり、男女ともに情が深く（実に嫉妬深くもある）、律儀である。

そして、たいていの島民は旅行者に親切であり、助けを求める人を突き放すようなことはまずありえない。遠来の旅人をもてなすという「オスピタリタ・グレーカ」（ギリシア的もてなしの心）の伝統を大切にしているのだという。

あとがき

初版を出した後も何度かシチリアを訪れていたが、この改訂版の企画が決まってから改めて訪島し、表紙を含めいくつかの写真を撮り直した。

今、写真を整理しながら、これまでのシチリアの旅を思い返している。街や風景もさることながら、出会った人々のことが強く印象に残っている。初版のあとがきにも書いたが、山間部で陽もそろそろ落ちようという時間帯に道に迷ってしまったことがあった。農作業を終え、帰路につこうとしていた親子に道を尋ねたところ、彼らはおんぼろの三輪トラックで幹線道路に出るまで私の車を誘導してくれた。あの時の親切は忘れられない。アーチ・トレッツァでの大晦日もなつかしい。海に面したその食堂は、氷を敷いた木箱の中にその日に獲れた魚介を無造作に並べていて、選んだものをまとめて秤で量り、炭火で焼いて出してくれるのだ。エプロンを着けていても漁師にしか見えないおやじさんたちが給仕してくれる海の家のようなあのレストランはあまりにも素朴で、旅をしているという強い実感がわいたものだ。また、初版の扉を飾った羊飼い（本書では82頁に再登場）は、エトナ山麓で偶然に見かけ、撮らせてもらったのであるが、掲載書を送ったらとても喜んでくれ、丁寧な礼状をもらった。その手紙は今でも大事にもっている。その他、初版制作の時点では入ることのできなかったマッシモ劇場の修復が終わり、ここで「フィガロの結婚」を観た時にも感慨深いものがあった。このように、シチリアについて書きたいことは山ほどあるが、皆さんもぜひご自身で訪れ、その魅力を確かめてほしいと思う。

（小森谷賢二）

初版が出てからもう十年が過ぎた。この本によってシチリアに関係する仕事が増え、この島との絆はますます強まった。知己も増えたが、その中で最古の友人はシラクーサの観光局長ミラベッラ氏である。カターニアで拙著が受賞した時には、お忙しい中、車を飛ばしてお祝いに駆けつけて下さったし、この度もホテルの朝食室に現れ、久々に会った夫に向かい「シラクーサは変わったでしょう？」と自慢していた。九〇年代初頭のオルティージャ島には侘しいホテルが一軒しかなかったことが思い出される。この改訂版で、きれいになったシラクーサやパレルモの新カットをお見せできることが実にうれしい。

初版を実現させて下さった新潮社の中島輝尚氏に改めてお礼を申し上げるとともに、再版を企画進行して下さった《とんぼの本》編集室とデザイナーの沼田美奈子氏にも感謝したい。

（小森谷慶子）

表記等について
固有名詞のカタカナ表記は、現地の人々の発音に準じた。例えば、母音にはさまれたSは、南イタリアでは濁らずに発音されることが多く、Siracusaはシラクーサ、Ragusaはラグーサと聞こえる。Zはたいてい濁るので、Zisaはシチリアではジーサと呼ばれている。人名は、古代人については古典ギリシア語あるいはラテン語読みとし、ギリシア語の長母音は表記しなかった（デーメーテールをデメテルとした）。また、φとπを区別するため、pではなくf/phと読み、ポリュフェモスなどと表記した。中世以降の人名は、教皇や異国人を別にして、ルッジェーロ（仏語ではロジェール、ラテン語ではロゲリウス）やフェデリーコ（独語ではフリードリヒ、ラテン語はフリデリクス）のように、原則としてイタリア語読みとした。
また、大ギリシア（ラテン語のマグナ・グラエキア、ギリシア語のメガレ・ヘラス）の示す地域は、古代史家の間では通常シチリアを含まない南イタリアのギリシア文化圏を指すので、本書もそれに準じることにした。

［上］シチリアを象徴するトリスケレス（三脚）紋。中央には護符としてメデューサの首があしらわれている。州旗の中央には、これに小麦の穂がプラスされている。

38
20
40
39
20
40
40
38
40
20
37
Oriens
20
36
C. Milaz
Milazo
C. Alma
C. de Orlando
Patti
Tindaro
Castri regalis flu.
Rasocalmo
Faro
Cannatelle
Siglio
Columella
Catona
Rhegio
Messina
Faro di Messina
S. Gregorius
S. Martino
Rometta
Monti di Namari
Rocca matoris
La Scaletta
Atala
Aly
Nisi fl.
Taormina
Motta Camastri
C. Schiso
Calatabiano
C. S. Alexy
La Forza
Sauoia
Roccella
Francauilla
Castiglion
VAL DE DEMONA
Randazzo
Maniaci
Aetna m.
Chierame
Lingua grossa
Giarre
Mascaris
Inuesa
Aris
Lognina
C. de la Molina
Catania
Golfo di Catania
Centorue
Aterno
Bronti
Paterno
Valtorrete
Rachalbuto
Agirone
Dictano flu.
Cisaro
Sarno
Gagliano
Trama
Sanfilippo
Nicosia
Sperlinga
Gangi
Aerei montes
Capizzi
Caronia
S. Fratello
S. Marco
Mirtiro
Naso
S. Angelo
S. Marina
Racuya
S. Nicolaus a ficu
Veria
Oliuerio
S. Librici
Casal nouo
Tripi
Furnaris
Abbat. de Gala
Gala
Lo Castro
Aedes regie
S. Marie abb.
Nouare
Montagna
Lafrcari
Martinis
Surrento
Guisa
Galatis
Alcara
Cesaro
Longi
Belmonte
Fragali abb.
Cesare
C. Tosa
Pettine
Motta forni
Rigiltano
Ame strata
La Motta
Maura
Gangi no
Spirlinga
C. Reiouanne
Artisina
Enna
Citatella
Aiduni
Symethus flu.
Policonia
Anglione
Leontini
Leontini emporium
C. Calcaro
La Bruca
Augusta
Petra tagliata
Gurga longa
Palua
Naphtia lacus
Catalfarns mo.
Francofonte
Ornui
S. Juliani fl.
Lymbe tro ro.
S. Cusmani ouero Yhadeda flu.
L'Isola deli Manghisi
Scala Iliorum
Plazza vet.
VAL DE NOTO
Seranatte
Licodia
Pasanito
Viseni
Bosemi
Palazolo
Ferula
Climitis
Gurunus fons
Syracusa
C. Massa Oliueria
Abidino
Sortinum
Pantalica
Pismoctu fons
Pisma fons
Rafi Cancir
Vhasybi
Cognina
S. Lucia
Serra
Cassarus
Granpolo
S. Johan Bidini
Castelluzo
Miranda fl.
Auulo
S. Maria ab Arcia
Falconara
Falconara fl.
Noto
Vendicaris
Mangelinum
Ochula
Raybuleti
Calatagirone
Cerretana
Bucheri
Rubeus fl.
Yhaneeria
Barra franca
Moracino
Grasulioto
Mandra plani
Petra perzia
Camarana
Fauara fons
Mazzarelle
S. Petri
Xicli
Motica
Spacca furno
Pozzallo
Ficallo
Po di Palo
Marza
Castellu
Marsame no
Bayachenum
Vhibinis
Pasaro ouero Pachino Pro
Alotya
Taloro Porta
Currentum insula
Longobardum
C. Scarranis over Roscarumbi
Ragusa
Chiaramonti
Dirillo
Comisu
Cubiscari
Terra noua
Falconara
Leocata
S. Petro
Campi
Dirillo fl.
Italica communia
15
20
25
30

SICILIAE Regnum.
MARE
MARE AFRICO
VAL DE MAZARA
Per Gerardum Mercatorem
Cum Priuilegio
Occidens
C. di Gallo
Mondello
C. Bongerbino
Palermo
Monreale
Solanto
Cefala
Roccella
Therme
S. Nicolai
Brucato
Cefala
Golfo di Castel Amar
C. S. Vito
C. Cofani
C. Rami
Calatubus
C. Amar
Barbara
Segesta olim
Bayda
Calatafimi
Trapani del monte
Li Porcelli
Leuenzo
Formice
Maretamo
Sauagnana
Marsella
Marsala
Ramuxara
Salemi
Calatrasi
Entella
Perribayde
Calattamar
S. Maria
Gibellina
Portano
Moyharta
C. Veterana
Contissa
Sambuca
Adragnum
Villa franca
Calatabellotta
Burgio
Bruona
Acristia
Mazara
C. Feetus
Corilione
Iatum
Petra longa
Prizzi
Palatium Hadriani
S. Stefano
Bicari
Mergana
Castro nouo
Camarata
Cacoabus
Sclafani
Bulici
Xacca
Raphadalis
Siculiano emp.
Gergenti
Gergentum emporium
Muxaro
Polizzi
Platina fl.
Rachalmuto
Giblina
Gruttis
Cannica tinus
Collisano
Caccamo
Cimina
Marineus
Rosalamus
Porco abb.
Carinis
Grecorum oppidum
Palymita
Scala Curiæ
Calatabusamar
C. Eyala

取材協力

初版作成の際には、イタリア政府観光局（ENIT）をはじめ、シチリア島内では特にシラクーサ観光局（AAT Siracusa）とトラーパニ県観光局（APT Trapani）に協力を得た。

❖旅行前の情報収集に便利なサイト

ENIT（イタリア政府観光局）日本　http://www.tabifan.com/italia/
ENIT（イタリア政府観光局本国）　http://www.enit.it/default.asp?Lang=UK
アリタリア航空会社　http://www.alitalia.co.jp/
JITRA　http://www.japanitalytravel.com/guide/kanko/sicilia.html
イタリア国鉄時刻表　http://www.trenitalia.com/en/index.html
シチリア各県の観光局　http://www.apt.sicilia.it/

❖シチリア島内のあらゆる観光局のリスト

http://www.palermoweb.com/cittadelsole/sicilytour/aziende_turismo.htm

❖シチリア島内のあらゆるバス会社と時刻表

http://www.regione.sicilia.it/turismo/trasporti/arcautolinee/autolinee.htm

❖シチリアのアグリトゥーリズモやB&Bなどのリスト

http://www.siciliano.it/indexhotel.cfm

その他、Hotelなどは地名を入力して検索してみて下さい。

本書は《とんぼの本》『シチリアへ行きたい』（1997年3月刊）を改訂したものです。

ブックデザイン　沼田美奈子
地図製作　ジェイ・マップ（p2〜3, p91）
綜合精図研究所

シチリアへ行《い》きたい

発行　2008年8月25日
4刷　2018年8月20日

著者　小《こ》森《もり》谷《や》慶《けい》子《こ》　小《こ》森《もり》谷《や》賢《けん》二《じ》
発行者　佐藤隆信
発行所　株式会社新潮社
住所　〒162-8711　東京都新宿区矢来町71
電話　編集部　03-3266-5611
読者係　03-3266-5111
http://www.shinchosha.co.jp
印刷所　凸版印刷株式会社
製本所　加藤製本株式会社
カバー印刷所　錦明印刷株式会社

ISBN978-4-10-602175-6 C0326